일 성

교과
연산

E0

초5 〈수특강〉 약수와 배수

변화를 정확히 이해해야 합니다.

수학의 기본이면서 이제는 필수가 된 연산 학습, 그런데 왜 우리 아이들은 많은 학습지를 풀고도 학교에 가면 연산 문제를 해결하지 못할까요?

지금 우리 아이들이 학습하는 교과서는 과거와는 많이 다릅니다. 단순 계산력을 확인하는 문제 대신 다양한 상황을 제시하고 상황에 맞게 문제를 해결하는 과정을 평가합니다. 그래서 단순히 계산하여 답을 내는 것보다 문장을 이해하고 상황을 판단하여 스스로 식을 세우고 문제를 해결하는 복합적인 사고 과정이 필요합니다.

그림을 보고 상황을 판단하는 능력, 그림을 보고 상황을 말로 표현하는 능력, 문장을 이해하는 능력 등 상황 판단 능력을 길러야 하는 이유입니다.

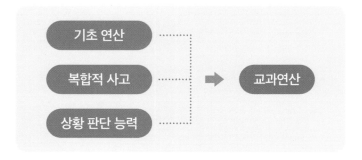

연산 원리를 학습함에 있어서도 대표적인 하나의 풀이 방법을 공식처럼 외우기만 해서는 지금의 연산 문제를 해결하기 어렵습니다. 연산 학습과 함께 다양한 방법으로 수를 분해하고 결합하는 과정, 즉 수 자체에 대한 학습도 병행되어야 합니다.

교과연산은 연산 학습과 함께 수 자체를 온전히 학습할 수 있도록 단계마다 '수특강'을 구성하고 있습니다. 계산은 문제를 해결하는 하나의 과정으로서의 의미가 큽니다.

학교에서 배우게 될 내용과 직접적으로 관련이 있는 교과연산으로 가장 먼저 시작하기를 추천드립니다.
요즘 연산은 교과 연산입니다.

"계산은 그 자체가 목적이 아닙니다. 문제를 해결하는 하나의 과정입니다."

하루 **한** 장, 75일에 완성하는 **교과연산**

한 단계는 총 4권으로 수를 학습하는 0권과 연산을 학습하는 1권, 2권, 3권으로 구성되어 있습니다.

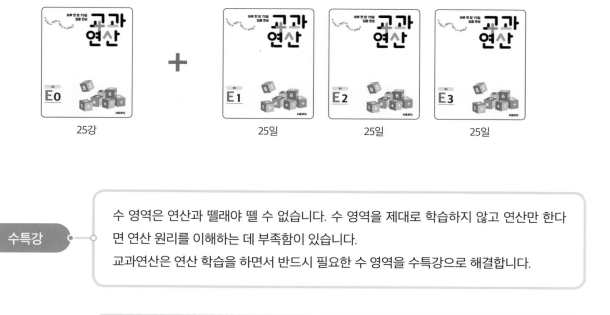

수특강

집중 교과연산

E0
25강

+

E1
25일

E2
25일

E3
25일

수특강

수 영역은 연산과 뗄래야 뗄 수 없습니다. 수 영역을 제대로 학습하지 않고 연산만 한다면 연산 원리를 이해하는 데 부족함이 있습니다.
교과연산은 연산 학습을 하면서 반드시 필요한 수 영역을 수특강으로 해결합니다.

교과연산

기초 연산도 합니다. 연산 원리를 이해하고 계산 연습도 합니다. 그에 더해서 교과연산은 다양한 상황 문제를 제시하여 상황에 맞는 식을 세우고 문제를 해결하는 상황 판단 능력을 길러줍니다.

"연산을 이해하기 위해서는 수를 먼저 이해해야 합니다."

원리는 기본, 복합적 사고 문제까지 다루는 교과연산

원리
수와 연산의 원리를
이해하고 연습합니다.

복합적 사고
연산 원리를 이용하여
다양한 소재의 복합적
문제를 해결합니다.

상황 판단 문제
문장 이해력을 기르고
상황에 맞는 식을 세워
문제를 해결합니다.

[체크 박스]
문제를 해결하는 데 도움이
되는 방향을 제시합니다.

[개념 포인트]
꼭 필요한 기본 개념을
설명합니다.

★100

100
백

99보다 1 큰 수를 100이라고 합니다.
100은 백이라고 읽습니다.

🖐 빈칸에 알맞은 수 또는 말을 써넣으세요.

| 3 | 1 | 5 | 6 | 4 | 2 |

순서수와 두 자리에 적힌 수를 잘 구분합니다.

"교과연산은 꼬이고 꼬인 어려운 연산이 아닙니다.
일상 생활 속에서 상황을 판단하는 능력을 길러주는 연산입니다."

하루 **한** 장, 75일 집중 완성 교과연산 **묻고 답하기**

Q1 왜 교과연산인가요?

지금의 교과서는 과거의 교과서와는 많이 다릅니다. 하지만 아쉽게도 기존의 연산학습지는 과거의 연산 학습 방법을 그대로 답습하고 변화를 제대로 반영하지 못하고 있습니다. 교과연산은 교과서의 변화를 정확히 이해하고 체계적으로 학습을 할 수 있도록 안내합니다.

Q2 다른 연산 교재와 어떻게 다른가요?

교과연산은 변화된 교과서의 핵심 내용인 상황 판단 능력과 복합적 사고력을 길러주는 최신 연산 프로그램입니다. 또한 연산 학습의 바탕이 되는 '수'를 수특강으로 다루고 있어 수학의 기본이 되는 연산학습을 체계적으로 학습할 수 있습니다.

Q3 학교 진도와는 맞나요?

네, 교과연산은 학교 수업 진도와 최신 개정된 교과 단원에 맞추어 개발하였습니다.

Q4 단계 선택은 어떻게 해야 할까요?

권장 연령의 학습을 추천합니다.
다만, 처음 교과 연산을 시작하는 학생이라면 한 단계 낮추어 시작하는 것도 좋습니다.

Q5 '수특강'을 먼저 해야 하나요?

'수특강'을 가장 먼저 학습하는 것을 권장합니다. P단계를 예로 들어보면 P0(수특강)을 먼저 학습한 후 차례대로 P1~P3 학습을 진행합니다. '수특강'은 각 단계의 연산 원리와 개념을 정확하게 이해하고 상황 문제를 해결하는 데 디딤돌이 되어줄 것입니다.

이 책의 차례

1주차 약수와 배수

📘 나누어떨어지는 나눗셈식을 완성하고, 약수를 구해 보세요.

$$6 \div 1 = 6 \qquad 6 \div 2 = 3 \qquad 6 \div \boxed{} = 2 \qquad 6 \div \boxed{} = 1$$

6의 약수 ➡ _____

$$12 \div \boxed{} = 12 \qquad 12 \div \boxed{} = 6 \qquad 12 \div \boxed{} = 4$$
$$12 \div \boxed{} = 3 \qquad 12 \div \boxed{} = 2 \qquad 12 \div \boxed{} = 1$$

12의 약수 ➡ _____

$$9 \div \boxed{} = 9 \qquad 9 \div \boxed{} = 3 \qquad 9 \div \boxed{} = 1$$

9의 약수 ➡ _____

★ 약수

어떤 수를 나누어떨어지게 하는 수를 그 수의 약수라고 합니다.

8을 나누어떨어지게 하는 수는 1, 2, 4, 8입니다.

$$8 \div 1 = 8 \qquad 8 \div 2 = 4 \qquad 8 \div 4 = 2 \qquad 8 \div 8 = 1 \quad \Rightarrow \quad 1, 2, 4, 8은 8의 약수입니다.$$

📘 알맞은 수에 모두 ◯표 하세요.

 10의 약수

| 8 | 5 | 2 | 4 | 3 | 10 |

 18의 약수

| 1 | 9 | 36 | 18 | 6 | 4 |

 28의 약수

| 14 | 3 | 1 | 16 | 7 | 2 |

 13의 약수

| 2 | 13 | 10 | 7 | 1 | 6 |

 25의 약수

| 1 | 15 | 5 | 20 | 10 | 25 |

 34의 약수

| 14 | 18 | 34 | 2 | 8 | 17 |

📖 곱셈식을 완성하고, 가장 작은 배수부터 차례로 **6**개씩 써 보세요.

$$5 \times 1 = \boxed{} \qquad 5 \times 2 = \boxed{} \qquad 5 \times 3 = \boxed{}$$

$$5 \times 4 = \boxed{} \qquad 5 \times 5 = \boxed{} \qquad 5 \times 6 = \boxed{}$$

5의 배수 ➡ _____

$$12 \times 1 = \boxed{} \qquad 12 \times 2 = \boxed{} \qquad 12 \times 3 = \boxed{}$$

$$12 \times 4 = \boxed{} \qquad 12 \times 5 = \boxed{} \qquad 12 \times 6 = \boxed{}$$

12의 배수 ➡ _____

★ 배수

어떤 수를 1배, 2배, 3배…… 한 수를 그 수의 배수라고 합니다.

8을 1배, 2배, 3배…… 하면 8, 16, 24……입니다.

$$8 \times 1 = 8 \qquad 8 \times 2 = 16 \qquad 8 \times 3 = 24 \qquad 8 \times 4 = 32 \quad \Rightarrow \quad 8, 16, 24, 32 \cdots\cdots 는 8의 배수입니다.$$

■ 수 배열표에서 알맞은 수에 모두 ◯표 하세요.

4의 배수

1	2	3	④	5	6	7	⑧	9	10
11	12	13	14	15	16	17	18	19	20
21	22	23	24	25	26	27	28	29	30

9의 배수

1	2	3	4	5	6	7	8	9	10
11	12	13	14	15	16	17	18	19	20
21	22	23	24	25	26	27	28	29	30
31	32	33	34	35	36	37	38	39	40
41	42	43	44	45	46	47	48	49	50

11의 배수

1	2	3	4	5	6	7	8	9	10
11	12	13	14	15	16	17	18	19	20
21	22	23	24	25	26	27	28	29	30
31	32	33	34	35	36	37	38	39	40
41	42	43	44	45	46	47	48	49	50

두 수의 곱으로 나타내고, 빈칸에 알맞은 수를 써넣으세요.

$1 \times 14 = 14$

$2 \times 7 = 14$

□, □, □, □ 은/는 14의 약수입니다.

14는 □, □, □, □ 의 배수입니다.

1은 모든 자연수의 약수이고, 모든 자연수는 1의 배수입니다.

□ × □ = 16

□ × □ = 16

□ × □ = 16

□, □, □, □, □ 은/는 16의 약수입니다.

16은 □, □, □, □, □ 의 배수입니다.

□ × □ = 28

□ × □ = 28

□ × □ = 28

□, □, □, □, □, □ 은/는 28의 약수입니다.

28은 □, □, □, □, □, □ 의 배수입니다.

★ 약수와 배수

곱셈식을 이용하여 약수와 배수와 관계를 알 수 있습니다.

$15 \div 1 = 15$ $15 \div 3 = 5$ ➡ $1 \times 15 = 15$ ➡   1, 3, 5, 15는 15의 약수입니다.

$15 \div 5 = 3$ $15 \div 15 = 1$ $3 \times 5 = 15$ 15는 1, 3, 5, 15의 배수입니다.

주어진 수의 약수를 모두 써 보세요.

15의 약수 →

15를 두 수의 곱으로 나타내어 봅니다. 1×15=15, 3×5=15

24의 약수 →

27의 약수 →

36의 약수 →

50의 약수 →

44의 약수 →

04 약수와 배수의 관계 (2)

두 수가 약수와 배수의 관계인 것에 ◯표 하세요.

| 4 ◯ 40 | 7 ǀ 45 | 10 ǀ 100 |

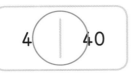
큰 수를 작은 수로 나누어 나누어떨어지면
작은 수는 큰 수의 약수, 큰 수는 작은 수의 배수입니다.

| 16 ǀ 42 | 14 ǀ 28 | 9 ǀ 81 |

| 2 ǀ 96 | 11 ǀ 111 | 6 ǀ 26 |

| 12 ǀ 48 | 3 ǀ 57 | 8 ǀ 54 |

| 4 ǀ 32 | 20 ǀ 90 | 15 ǀ 60 |

📘 약수와 배수의 관계인 수를 모두 찾아 써 보세요.

33	6	36
24	11	28

약수	배수
6	24

6은 24의 약수,
24는 6의 배수입니다.

4	16	45
15	35	9

약수	배수

13	21	34
3	28	42

약수	배수

12	18	8
40	54	5

약수	배수

■ 물음에 답하세요.

12의 배수를 가장 작은 수부터 차례로 썼습니다. 6번째 수는 얼마일까요?

(   )

12의 배수 중 가장 작은 수는 12입니다.

9의 배수를 가장 작은 수부터 차례로 썼습니다. 12번째 수는 얼마일까요?

(   )

어떤 수의 약수를 작은 수부터 차례로 썼더니 1, 2, 3, 5, 6, □, 15, 30입니다. □에 들어갈 수는 얼마일까요?

(   )

어떤 수의 약수 중 가장 큰 수는 어떤 수입니다.

어떤 수의 약수를 작은 수부터 차례로 썼더니 1, 2, 4, 5, 8, 10, 20, □입니다. □에 들어갈 수는 얼마일까요?

(   )

15의 배수 중에서 100에 가장 가까운 수는 얼마일까요?

(   )

💳 물음에 답하세요.

버스터미널에서 버스가 오전 **7**시부터 **11**분 간격으로 출발합니다. 오전 **7**시부터 오전 **8**시까지 버스는 몇 번 출발할까요?

오전 7시에도 버스가 출발합니다.

(   )

기차역에서 기차가 오전 **9**시부터 **7**분 간격으로 출발합니다. 오전 **9**시부터 오전 **10**시까지 기차는 몇 번 출발할까요?

(   )

승현이는 **1**부터 **40**까지의 수를 차례대로 말하면서 **3**의 배수인 수에는 손뼉을 쳤습니다. 승현이는 손뼉을 몇 번 쳤을까요?

(   )

규칙에 따라 바둑돌을 **50**개 놓았습니다. 흰 바둑돌은 몇 개 놓았을까요?

 ‥‥‥

(   )

📖 설명에 맞는 수를 써 보세요.

- 5의 배수이고, 20의 약수입니다.
- 홀수입니다.

(   )

- 60의 약수입니다.
- 두 자리 수이고, 홀수입니다.

(   )

- 24의 약수입니다.
- 3의 배수입니다.
- 5보다 크고 10보다 작은 수입니다.

(   )

- 15보다 크고 30보다 작은 수입니다.
- 8의 배수입니다.
- 32의 약수입니다.

(   )

- 6의 배수입니다.
- 48의 약수입니다.
- 10보다 크고 20보다 작은 수입니다.

(   )

2주차 공약수와 최대공약수

두 수의 약수를 보고, 공약수와 최대공약수를 구해 보세요.

10의 약수: 1, 2, 5, 10

15의 약수: 1, 3, 5, 15

10과 15의 공약수 (   )

10과 15의 최대공약수 (   )

공약수는 두 수의 공통된 약수,
최대공약수는 공약수 중 가장 큰 수입니다.

13의 약수: 1, 13

26의 약수: 1, 2, 13, 26

13과 26의 공약수 (   )

13과 26의 최대공약수 (   )

27의 약수: 1, 3, 9, 27

45의 약수: 1, 3, 5, 9, 15, 45

27과 45의 공약수 (   )

27과 45의 최대공약수 (   )

18의 약수: 1, 2, 3, 6, 9, 18

24의 약수: 1, 2, 3, 4, 6, 8, 12, 24

18과 24의 공약수 (   )

18과 24의 최대공약수 (   )

★ **공약수와 최대공약수**

8의 약수: 1, 2, 4, 8   12의 약수: 1, 2, 3, 4, 6, 12

1, 2, 4는 8의 약수도 되고, 12의 약수도 됩니다. 8과 12의 공통된 약수 1, 2, 4를 8과 12의 공약수라고 하고, 공약수 중에서 가장 큰 수인 4를 8과 12의 최대공약수라고 합니다.

월 일

📖 빈 곳에 알맞은 수를 모두 써 보세요.

14의 약수	1, 2, 7, 14
21의 약수	
14와 21의 최대공약수	

8의 약수	
16의 약수	
8과 16의 최대공약수	

20의 약수	
30의 약수	
20과 30의 최대공약수	

44의 약수	
66의 약수	
44와 66의 최대공약수	

🔖 1을 제외한 여러 수의 곱으로 나타내고, 최대공약수를 구해 보세요.

$10 = 2 \times 5$ $35 = 5 \times 7$

10과 35의 최대공약수: ☐

10은 2와 5, 35는 5와 7로 나눌 수 있습니다.

$12 = 3 \times 4$ $18 = 2 \times 9$

$12 = 3 \times ☐ \times ☐$ $18 = 2 \times ☐ \times ☐$

12와 18의 최대공약수: ☐

$28 = 4 \times 7$ $42 = 6 \times 7$

$28 = ☐ \times ☐ \times 7$ $42 = ☐ \times ☐ \times 7$

28과 42의 최대공약수: ☐

★ **최대공약수 (1)**

최대공약수는 두 수를 공통으로 나눌 수 있는 수 중 가장 큰 수입니다.

따라서 두 수를 여러 수의 곱셈식으로 나타낸 다음, 공통으로 들어 있는 수 중 가장 큰 수를 찾습니다.

$8 = 2 \times 4$ $12 = 2 \times 6$

$8 = 2 \times 2 \times 2$ $12 = 2 \times 2 \times 3$

2×2가 공통으로 들어 있으므로 8과 12의 최대공약수는 4입니다.

📘 1을 제외한 여러 수의 곱으로 나타내고, 최대공약수를 구해 보세요.

15 = 3 × 5
25 = ☐ × ☐

15와 25의 최대공약수: ☐

14 = ☐ × ☐
21 = ☐ × ☐

14와 21의 최대공약수: ☐

28 = 2 × ☐ × ☐
35 = ☐ × ☐

28과 35의 최대공약수: ☐

39 = ☐ × ☐
52 = ☐ × ☐ × ☐

39와 52의 최대공약수: ☐

27 = ☐ × ☐ × ☐
18 = ☐ × ☐ × ☐

27과 18의 최대공약수: ☐

30 = ☐ × ☐ × ☐
50 = ☐ × ☐ × ☐

30과 50의 최대공약수: ☐

8 = ☐ × ☐ × ☐
16 = ☐ × ☐ × ☐ × ☐

8과 16의 최대공약수: ☐

36 = ☐ × ☐ × ☐ × ☐
20 = ☐ × ☐ × ☐

36과 20의 최대공약수: ☐

🔖 빈칸에 알맞은 수를 써넣어 최대공약수를 구해 보세요.

$$2\,)\,\overline{\begin{array}{cc} 28 & 42 \end{array}}$$
$$7\,)\,\overline{\begin{array}{cc} 14 & 21 \end{array}}$$
$$\begin{array}{cc} 2 & 3 \end{array}$$

최대공약수: $2 \times 7 = \boxed{}$

$$5\,)\,\overline{\begin{array}{cc} 60 & 75 \end{array}}$$
$$3\,)\,\overline{\begin{array}{cc} 12 & 15 \end{array}}$$
$$\begin{array}{cc} 4 & 5 \end{array}$$

최대공약수: $\boxed{} \times \boxed{} = \boxed{}$

$$2\,)\,\overline{\begin{array}{cc} 24 & 32 \end{array}}$$
$$2\,)\,\overline{\begin{array}{cc} 12 & 16 \end{array}}$$
$$2\,)\,\overline{\begin{array}{cc} 6 & 8 \end{array}}$$
$$\begin{array}{cc} 3 & 4 \end{array}$$

최대공약수: $\boxed{} \times \boxed{} \times \boxed{} = \boxed{}$

$$2\,)\,\overline{\begin{array}{cc} 30 & 90 \end{array}}$$
$$3\,)\,\overline{\begin{array}{cc} 15 & 45 \end{array}}$$
$$5\,)\,\overline{\begin{array}{cc} 5 & 15 \end{array}}$$
$$\begin{array}{cc} 1 & 3 \end{array}$$

최대공약수: $\boxed{} \times \boxed{} \times \boxed{} = \boxed{}$

★ 최대공약수 (2)

공약수는 두 수를 공통으로 나눌 수 있는 수이므로 두 수를 공약수로 계속 나누어 가며 최대공약수를 찾습니다.
1을 제외한 공약수로 더 이상 나눌 수 없을 때까지 계속 나눕니다.

$18 = 2 \times 3 \times 3$
$30 = 2 \times 3 \times 5$

➡

18과 30의 공약수 → $2\,)\,\overline{\begin{array}{cc} 18 & 30 \end{array}}$
9와 15의 공약수 → $3\,)\,\overline{\begin{array}{cc} 9 & 15 \end{array}}$ ··· $18 \div 2 = 9,\ 30 \div 2 = 15$
$\begin{array}{cc} 3 & 5 \end{array}$ ··· $9 \div 3 = 3,\ 15 \div 3 = 5$

2×3으로 나눌 수 있으므로 18과 30의 최대공약수는 6입니다.

📖 빈칸에 알맞은 수를 써넣어 최대공약수를 구해 보세요.

4)‾12‾‾20‾
　　3　　5

12와 20의 최대공약수: ☐

☐)‾18‾‾24‾
　　3　　4

18과 24의 최대공약수: ☐

3)‾27‾‾36‾　　27=3×3×3
3)‾9‾‾‾12‾　　36=3×3×4
　　3　　4

27과 36의 최대공약수: ☐

☐)‾20‾‾50‾
☐)‾10‾‾25‾
　　2　　5

20과 50의 최대공약수: ☐

☐)‾24‾‾42‾
☐)‾12‾‾21‾
　　4　　7

24와 42의 최대공약수: ☐

☐)‾75‾‾60‾
☐)‾15‾‾12‾
　　5　　4

75와 60의 최대공약수: ☐

☐)‾30‾‾18‾
☐)‾15‾‾9‾
　　☐　　☐

30과 18의 최대공약수: ☐

☐)‾63‾‾84‾
☐)‾9‾‾‾12‾
　　☐　　☐

63과 84의 최대공약수: ☐

두 수의 최대공약수

🔹 공약수로 나누는 방법을 이용하여 두 수의 최대공약수를 구해 보세요.

$)\ \underline{\quad 9 \quad\quad 15 \quad}$

최대공약수: ☐

$)\ \underline{\quad 56 \quad\quad 21 \quad}$

최대공약수: ☐

$)\ \underline{\quad 20 \quad\quad 40 \quad}$

최대공약수: ☐

$)\ \underline{\quad 24 \quad\quad 36 \quad}$

최대공약수: ☐

$)\ \underline{\quad 81 \quad\quad 45 \quad}$

최대공약수: ☐

$)\ \underline{\quad 72 \quad\quad 54 \quad}$

최대공약수: ☐

📖 두 수의 최대공약수를 구해 보세요.

6	15

(   )

20	4

(   )

16	36

(   )

75	45

(   )

26	39

(   )

40	64

(   )

45	60

(   )

84	56

(   )

최대공약수의 약수

■ 물음에 답하세요.

| 16 | 40 |

두 수의 공약수를 모두 구해 보세요.

(   )

두 수의 최대공약수를 구해 보세요.

(   )

두 수의 최대공약수의 약수를 모두 구해 보세요.

(   )

| 14 | 28 |

두 수의 공약수를 모두 구해 보세요.

(   )

두 수의 최대공약수를 구해 보세요.

(   )

두 수의 최대공약수의 약수를 모두 구해 보세요.

(   )

■ 물음에 답하세요.

12와 18을 어떤 수로 나누면 두 수가 모두 나누어떨어집니다. 어떤 수 중 가장 큰 수는 얼마일까요?

( )

20과 30을 어떤 수로 나누면 두 수가 모두 나누어떨어집니다. 어떤 수 중 가장 큰 수는 얼마일까요?

( )

36과 54를 어떤 수로 나누면 두 수가 모두 나누어떨어집니다. 어떤 수 중 가장 큰 수는 얼마일까요?

( )

48과 84를 어떤 수로 나누면 두 수가 모두 나누어떨어집니다. 어떤 수 중 가장 큰 수는 얼마일까요?

( )

■ 물음에 답하세요.

어떤 두 수의 최대공약수가 10입니다. 두 수의 공약수를 모두 써 보세요.

(   )

어떤 두 수의 최대공약수가 16입니다. 두 수의 공약수를 모두 써 보세요.

(   )

어떤 두 수의 최대공약수가 12입니다. 두 수의 공약수는 모두 몇 개일까요?

(   )

어떤 두 수의 최대공약수가 25입니다. 두 수의 공약수는 모두 몇 개일까요?

(   )

3주차 공배수와 최소공배수

공통된 배수

두 수의 배수를 보고, 공배수와 최소공배수를 구해 보세요.

3의 배수: 3, 6, 9, 12, 15, 18, 21, 24, 27, 30, 33, 36······

5의 배수: 5, 10, 15, 20, 25, 30, 35, 40, 45, 50, 55, 60······

> 공배수는 두 수의 공통된 배수,
> 최소공배수는 공배수 중
> 가장 작은 수입니다.

공배수 (   )   최소공배수 (   )

4의 배수: 4, 8, 12, 16, 20, 24, 28, 32, 36, 40, 44, 48······

6의 배수: 6, 12, 18, 24, 30, 36, 42, 48, 54, 60, 66, 72······

공배수 (   )   최소공배수 (   )

3의 배수: 3, 6, 9, 12, 15, 18, 21, 24, 27, 30, 33, 36······

9의 배수: 9, 18, 27, 36, 45, 54, 63, 72, 81, 90, 99, 108······

> 9는 3의 배수이므로
> 9의 배수는 항상
> 3의 배수입니다.

공배수 (   )   최소공배수 (   )

★ 공배수와 최소공배수

3의 배수: 3, 6, 9, 12, 15, 18, 21, 24, 27, 30, 33, 36, 39, 42, 45, 48······

4의 배수: 4, 8, 12, 16, 20, 24, 28, 32, 36, 40, 44, 48······

12, 24, 36, 48은 3의 배수도 되고, 4의 배수도 됩니다. 3과 4의 공통된 배수 12, 24, 36, 48을 3과 4의 공배수라고 하고, 공배수 중에서 가장 작은 수인 12를 3과 4의 최소공배수라고 합니다.

표에 배수를 작은 수부터 써넣고, 표를 보고 공배수와 최소공배수를 구해 보세요.

2의 배수	2	4	6	8	10	12	14	16	18	20	⋯
3의 배수	3	6	9	12							⋯

공배수 (　　　　　　　　)　　　최소공배수 (　　　　　　)

5의 배수											⋯
10의 배수											⋯

공배수 (　　　　　　　　)　　　최소공배수 (　　　　　　)

6의 배수											⋯
8의 배수											⋯

공배수 (　　　　　　　　)　　　최소공배수 (　　　　　　)

9의 배수											⋯
6의 배수											⋯

공배수 (　　　　　　　　)　　　최소공배수 (　　　　　　)

곱셈과 최소공배수

📘 I을 제외한 여러 수의 곱으로 나타내고, 최소공배수를 구해 보세요.

$6 = 2 \times 3$ $15 = 3 \times 5$

6과 15의 최소공배수: ☐

공통인 수 3은 한 번만 곱하고, 공통이 아닌 수 2와 5를 모두 곱합니다.

$8 = 2 \times 4$ $18 = 2 \times 9$

$8 = 2 \times \boxed{} \times \boxed{}$ $18 = 2 \times \boxed{} \times \boxed{}$

8과 18의 최소공배수: ☐

$12 = 2 \times 6$ $20 = 4 \times 5$

$12 = 2 \times \boxed{} \times \boxed{}$ $20 = \boxed{} \times \boxed{} \times 5$

12와 20의 최소공배수: ☐

★ 최소공배수 (1)

8과 12에서 두 수의 곱 $8 \times 12 = 96$은 8의 12배이고, 12의 8배이므로 8과 12의 공배수입니다.

8과 12를 여러 수의 곱으로 나타내면 2×2가 공통으로 들어 있습니다.

8과 12의 공배수 $8 \times 12 = (2 \times 2 \times 2) \times (2 \times 2 \times 3)$에서 공통으로 들어 있는 2×2를 한 번만 곱하면 최소공배수를 구할 수 있습니다.

$8 = 2 \times 4$ $12 = 2 \times 6$

$8 = 2 \times 2 \times 2$ $12 = 2 \times 2 \times 3$

8과 12의 최소공배수: $2 \times 2 \times 2 \times 3 = 24$

📘 1을 제외한 여러 수의 곱으로 나타내고, 최소공배수를 구해 보세요.

$10 = 2 \times 5$
$35 = \square \times \square$

10과 35의 최소공배수: $\square$

$9 = \square \times \square$
$15 = \square \times \square$

9와 15의 최소공배수: $\square$

$20 = 2 \times \square \times \square$
$25 = \square \times \square$

20과 25의 최소공배수: $\square$

$21 = \square \times \square$
$28 = \square \times \square \times \square$

21과 28의 최소공배수: $\square$

$27 = \square \times \square \times \square$
$63 = \square \times \square \times \square$

27과 63의 최소공배수: $\square$

$18 = \square \times \square \times \square$
$30 = \square \times \square \times \square$

18과 30의 최소공배수: $\square$

$12 = \square \times \square \times \square$
$36 = \square \times \square \times \square \times \square$

12와 36의 최소공배수: $\square$

$30 = \square \times \square \times \square$
$50 = \square \times \square \times \square$

30과 50의 최소공배수: $\square$

빈칸에 알맞은 수를 써넣어 최소공배수를 구해 보세요.

$$3 \,)\, \overline{\begin{array}{cc} 15 & 30 \end{array}}$$
$$5 \,)\, \overline{\begin{array}{cc} 5 & 10 \end{array}}$$
$$\begin{array}{cc} 1 & 2 \end{array}$$

최소공배수: $3 \times 5 \times 1 \times 2 = \boxed{}$

$$2 \,)\, \overline{\begin{array}{cc} 12 & 16 \end{array}}$$
$$2 \,)\, \overline{\begin{array}{cc} 6 & 8 \end{array}}$$
$$\begin{array}{cc} 3 & 4 \end{array}$$

최소공배수: $\boxed{} \times \boxed{} \times \boxed{} \times \boxed{} = \boxed{}$

$$2 \,)\, \overline{\begin{array}{cc} 24 & 30 \end{array}}$$
$$3 \,)\, \overline{\begin{array}{cc} 12 & 15 \end{array}}$$
$$\begin{array}{cc} 4 & 5 \end{array}$$

최소공배수: $\boxed{} \times \boxed{} \times \boxed{} \times \boxed{} = \boxed{}$

★ 최소공배수 (2)

두 수 12와 42에서 공통으로 들어 있는 수 2×3은 두 수의 공약수이므로 최소공배수는 공약수(2×3)와 나머지 수(2, 7)를 곱하는 것과 같습니다.

$12 = 2 \times 2 \times 3$
$42 = 2 \times 3 \times 7$

$\Rightarrow$

12와 42의 공약수 → $2 \,)\, \overline{\begin{array}{cc} 12 & 42 \end{array}}$
6과 21의 공약수 → $3 \,)\, \overline{\begin{array}{cc} 6 & 21 \end{array}}$
$\begin{array}{cc} 2 & 7 \end{array}$

$\Rightarrow$

12와 42의 최소공배수는
$2 \times 3 \times 2 \times 7 = 84$입니다.

📘 빈칸에 알맞은 수를 써넣어 최소공배수를 구해 보세요.

6) 12   18
———————
   2   3

12와 18의 최소공배수: ☐

☐) 6   8
———————
   3   4

6과 8의 최소공배수: ☐

3) 36   30   36=3×2×6
———————   30=3×2×5
2) 12   10
———————
   6   5

36과 30의 최소공배수: ☐

☐) 18   27
☐) 6   9
———————
   2   3

18과 27의 최소공배수: ☐

☐) 20   28
☐) 10   14
———————
   5   7

20과 28의 최소공배수: ☐

☐) 22   44
☐) 11   22
———————
   1   2

22와 44의 최소공배수: ☐

☐) 27   45
☐) 9   15
   ☐   ☐

27과 45의 최소공배수: ☐

☐) 42   56
☐) 6   8
   ☐   ☐

42와 56의 최소공배수: ☐

두 수의 최소공배수

■ 공약수로 나누는 방법을 이용하여 두 수의 최소공배수를 구해 보세요.

$$) \quad 8 \quad 14$$

최소공배수: ☐

$$) \quad 18 \quad 27$$

최소공배수: ☐

$$) \quad 16 \quad 24$$

최소공배수: ☐

$$) \quad 60 \quad 40$$

최소공배수: ☐

$$) \quad 36 \quad 72$$

최소공배수: ☐

$$) \quad 24 \quad 30$$

최소공배수: ☐

월 일

■ 두 수의 최소공배수를 구해 보세요.

| 4 | 9 |

(   )

| 14 | 6 |

(   )

| 12 | 48 |

(   )

| 42 | 24 |

(   )

| 28 | 70 |

(   )

| 30 | 42 |

(   )

| 60 | 45 |

(   )

| 36 | 84 |

(   )

물음에 답하세요.

10	15

두 수의 공배수를 작은 수부터 **3**개 써 보세요.　　　(　　　　　　　)

두 수의 최소공배수를 구해 보세요.　　　(　　　　　　　)

최소공배수의 배수를 작은 수부터 **3**개 써 보세요.　　　(　　　　　　　)

13	26

두 수의 공배수를 작은 수부터 **3**개 써 보세요.　　　(　　　　　　　)

두 수의 최소공배수를 구해 보세요.　　　(　　　　　　　)

최소공배수의 배수를 작은 수부터 **3**개 써 보세요.　　　(　　　　　　　)

📖 물음에 답하세요.

어떤 두 수의 최소공배수가 9일 때 두 수의 공배수를 작은 것부터 3개 써 보세요.

최소공배수는 공배수 중에서 가장 작은 수입니다.

( )

어떤 두 수의 최소공배수가 21일 때 두 수의 공배수를 작은 것부터 3개 써 보세요.

( )

어떤 두 수의 최소공배수가 8일 때 두 수의 공배수 중 5번째로 작은 수를 써 보세요.

( )

어떤 두 수의 최소공배수가 15일 때 두 수의 공배수 중 5번째로 작은 수를 써 보세요.

( )

■ 물음에 답하세요.

50보다 작은 수 중에서 6의 배수이면서 9의 배수인 수를 모두 써 보세요.

(   )

40보다 크고 70보다 작은 수 중에서 7의 배수이면서 8의 배수인 수를 써 보세요.

(   )

4와 6의 공배수 중에서 30보다 크고 50보다 작은 수를 모두 써 보세요.

(   )

12와 16의 공배수 중에서 80보다 크고 100보다 작은 수를 써 보세요.

(   )

4주차 약수와 배수의 활용

곱셈과 약수, 배수

■ 최대공약수와 최소공배수를 구해 보세요.

$15 = 3 \times 5$

$35 = 5 \times 7$

최대공약수 (　　　　　　)

최소공배수 (　　　　　　)

$12 = 2 \times 2 \times 3$

$22 = 2 \times 11$

최대공약수 (　　　　　　)

최소공배수 (　　　　　　)

$8 = 2 \times 2 \times 2$

$12 = 2 \times 2 \times 3$

최대공약수 (　　　　　　)

최소공배수 (　　　　　　)

$42 = 2 \times 3 \times 7$

$70 = 2 \times 5 \times 7$

최대공약수 (　　　　　　)

최소공배수 (　　　　　　)

$20 = 2 \times 2 \times 5$

$36 = 2 \times 2 \times 3 \times 3$

최대공약수 (　　　　　　)

최소공배수 (　　　　　　)

$40 = 2 \times 2 \times 2 \times 5$

$45 = 3 \times 3 \times 5$

최대공약수 (　　　　　　)

최소공배수 (　　　　　　)

올바른 설명에 ◯표, 잘못된 설명에 ✕표 하세요.

$$8 = 2 \times 2 \times 2$$
$$20 = 2 \times 2 \times 5$$

8과 20의 공약수는 2와 4뿐입니다. ⋯⋯⋯⋯⋯⋯⋯ ( )

8과 20의 최소공배수는 $2 \times 2 \times 2 \times 5$입니다. ⋯⋯⋯ ( )

2×5는 8과 20의 공배수입니다. ⋯⋯⋯⋯⋯⋯⋯ ( )

$$24 = 2 \times 2 \times 2 \times 3$$
$$60 = 2 \times 2 \times 3 \times 5$$

2×3은 24와 60의 공약수입니다. ⋯⋯⋯⋯⋯⋯⋯ ( )

24와 60의 최대공약수는 $2 \times 2 \times 3$입니다. ⋯⋯⋯⋯ ( )

24×60은 24와 60의 최소공배수입니다. ⋯⋯⋯⋯ ( )

■ 최대공약수와 최소공배수를 구해 보세요.

5) 20 25
       4   5

최대공약수 (   )

최소공배수 (   )

8) 56 24
       7   3

최대공약수 (   )

최소공배수 (   )

2) 16 36
2) 8 18
       4   9

최대공약수 (   )

최소공배수 (   )

3) 75 30
5) 25 10
       5   2

최대공약수 (   )

최소공배수 (   )

3) 54 18
3) 18   6
2) 6   2
       3   1

최대공약수 (   )

최소공배수 (   )

2) 90 60
3) 45 30
5) 15 10
       3   2

최대공약수 (   )

최소공배수 (   )

■ 올바른 설명에 ◯표, 잘못된 설명에 ✕표 하세요.

$$2 \overline{)\ 18 \quad 24}$$
$$3 \overline{)\ 9 \quad 12}$$
$$\quad\ 3 \quad\ 4$$

2는 18과 24의 공약수입니다. ──────────── (　　　)

18과 24의 최대공약수는 3×4입니다. ──────── (　　　)

9와 12의 최대공약수는 3입니다. ──────────── (　　　)

- -

$$5 \overline{)\ 50 \quad 75}$$
$$5 \overline{)\ 10 \quad 15}$$
$$\quad\ 2 \quad\ 3$$

50과 75의 최소공배수는 5×5×2×3입니다. ────── (　　　)

10, 15는 50과 75의 공약수입니다. ─────────── (　　　)

5×5는 50과 75의 공배수이기도 합니다. ──────── (　　　)

최대공약수의 활용 (1)

📘 알맞은 말에 ◯표 하세요.

종이학 8개와 종이배 12개를 남김없이 똑같이 나누어 주려고 합니다.

2명에게 남김없이 똑같이 나누어 줄 수 (있습니다 , 없습니다).

3명에게 남김없이 똑같이 나누어 줄 수 (있습니다 , 없습니다).

4명에게 남김없이 똑같이 나누어 줄 수 (있습니다 , 없습니다).

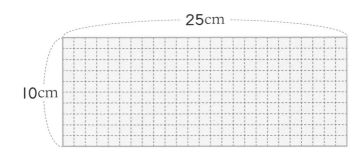

가로 25cm, 세로 10cm인 직사각형 모양의 종이를 크기가 같은 정사각형 모양으로 남는 부분 없이 나누어 자르려고 합니다.

한 변이 2cm인 정사각형 모양으로 자를 수 (있습니다 , 없습니다).

한 변이 5cm인 정사각형 모양으로 자를 수 (있습니다 , 없습니다).

한 변이 10cm인 정사각형 모양으로 자를 수 (있습니다 , 없습니다).

📖 물음에 답하세요.

사과 15개와 귤 40개를 최대한 많은 사람에게 남김없이 똑같이 나누어 주려고 합니다. 사과와 귤을 최대 몇 명에게 나누어 줄 수 있을까요?

( )

감자 32개와 고구마 48개를 최대한 많은 상자에 남김없이 똑같이 나누어 담으려고 합니다. 감자와 고구마를 최대 몇 상자에 담을 수 있을까요?

( )

우유 14개와 빵 42개를 최대한 많은 사람에게 남김없이 똑같이 나누어 주려고 합니다. 우유와 빵을 최대 몇 명에게 나누어 줄 수 있을까요?

( )

가로 36cm, 세로 54cm인 직사각형 모양의 종이를 크기가 같은 정사각형 모양으로 남는 부분 없이 나누어 자르려고 합니다. 가능한 가장 큰 정사각형 모양으로 자른다면 정사각형 한 변의 길이는 몇 cm일까요?

( )

📖 빈칸에 알맞은 수를 써넣으세요.

테니스공 **6**개와 야구공 **15**개를 최대한 많은 상자에 남김없이 똑같이 나누어 담습니다.

최대 **3**상자에 담으면 **1**상자에는 테니스공 **2**개와 야구공 ☐개를 담을 수 있습니다.

> 6과 15의 최대공약수인 3상자에 담으면 최대한 많은 상자에 담을 수 있습니다.

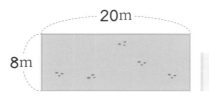

20m

8m

> 나무를 적게 심으므로 최대한 큰 간격으로 심습니다.

가로 **20**m, 세로 **8**m인 직사각형 모양 땅의 둘레에 일정한 간격으로 나무를 가장 적게 사용하여 나무를 심습니다. (네 모퉁이에는 반드시 나무를 심습니다.)

최대한 큰 ☐m 간격으로 심으면 나무는 ☐그루가 필요합니다.

밤 **15**개와 도토리 **20**개를 최대한 많은 사람에게 남김없이 똑같이 나누어 줍니다.

최대 ☐명에게 나누어 주면 **1**명은 밤 ☐개와 도토리 ☐개를 가집니다.

■ 물음에 답하세요.

사과 18개와 귤 24개를 최대한 많은 사람에게 남김없이 똑같이 나누어 주려고 합니다. 한 사람이 받는 사과와 귤은 각각 몇 개인지 물음에 답하세요.

사과와 귤을 최대 몇 명에게 나누어 줄 수 있나요?

( )

한 사람이 받는 사과와 귤은 각각 몇 개인가요?

사과 ( ) 귤 ( )

가로 36cm, 세로 27cm인 직사각형 모양의 종이를 크기가 같은 정사각형 모양으로 남는 부분 없이 나누어 자르려고 합니다. 가능한 가장 큰 정사각형 모양으로 자른다면 정사각형은 몇 개 나오는지 물음에 답하세요.

자른 정사각형 한 변의 길이는 몇 cm인가요?

( )

잘라진 정사각형은 모두 몇 개인가요?

( )

20강 최소공배수의 활용

■ 물음에 답하세요.

다예와 도운이가 수를 1부터 차례대로 말하면서 다예는 **3**의 배수마다 손뼉을 치고, 도운이는 **4**의 배수마다 손뼉을 칩니다. 두 사람이 처음으로 동시에 손뼉을 치는 수는 무엇일까요?

| 다예 | 1 2 3 4 5 6 7 8 …… |
| 도운 | 1 2 3 4 5 6 7 8 …… |

(   )

연수는 **6**일마다, 정민이는 **10**일마다 봉사활동을 합니다. 연수는 **1**월 **6**일, 정민이는 **1**월 **10**일에 봉사활동을 했다면 두 사람이 처음으로 함께 봉사활동을 하는 날은 몇 월 며칠일까요?

연수) 1월 6일, 1월 12일, 1월 18일……

정민) 1월 10일, 1월 20일……

(   )

■ 물음에 답하세요.

> 진혁이는 1부터 50까지의 수를 차례대로 말하면서 4의 배수에는 왼손을 들고, 6의 배수에는 오른손을 들기로 했습니다. 물음에 답하세요.

처음으로 왼손과 오른손을 동시에 들어야 하는 수는 무엇인가요?

( )

왼손과 오른손을 동시에 들어야 하는 수를 모두 써 보세요.

( )

> 지수와 연아가 규칙에 따라 각자 바둑돌을 60개씩 놓았습니다. 물음에 답하세요.
>
> 지수 ●●●●○●○●●○●●●●○● ……
> 연아 ●●○●●○●●○●●○●●○● ……

처음으로 같은 자리에 흰 바둑돌이 있는 경우는 몇 번째 바둑돌인가요?

( )

같은 자리에 흰 바둑돌을 놓는 경우는 모두 몇 번 있나요?

( )

버스터미널에서 1번 버스는 오전 8시부터 10분마다, 2번 버스는 오전 8시부터 25분마다 출발합니다. 오전 8시부터 10시까지 2시간 동안 두 버스가 동시에 출발하는 경우는 몇 번 있을까요?

(   )

손목시계는 알람이 4분 간격으로 울리고, 탁상시계는 알람이 5분 간격으로 울립니다. 처음 알람이 동시에 울리고 난 후 90분 동안 알람이 동시에 울리는 것은 몇 번 더 있을까요?

(   )

진우와 승호가 일정한 빠르기로 호수 둘레를 걷습니다. 진우는 8분마다, 승호는 12분마다 호수를 한 바퀴 돕니다. 두 사람이 출발점에서 같은 방향으로 동시에 출발한다면 출발 후 1시간 동안 출발점에서 몇 번 다시 만날까요?

(   )

5주차 크기가 같은 분수

■ 분수만큼 색칠하고 크기가 같은 분수끼리 이어 보세요.

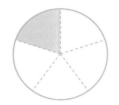 $\dfrac{1}{5}$ ·

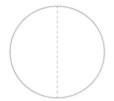 $\dfrac{1}{2}$ ·

 $\dfrac{2}{5}$ ·

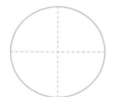 $\dfrac{3}{4}$ ·

 $\dfrac{1}{3}$ ·

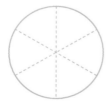 $\dfrac{5}{6}$ ·

· $\dfrac{4}{10}$

· $\dfrac{2}{10}$

· $\dfrac{2}{6}$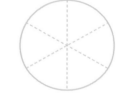

· $\dfrac{3}{6}$

· $\dfrac{10}{12}$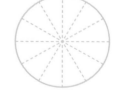

· $\dfrac{6}{8}$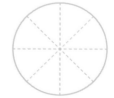

🔷 왼쪽 분수와 크기가 같도록 색칠하고, 색칠한 부분을 분수로 나타내어 보세요.

$\dfrac{1}{4}$ = ☐

$\dfrac{1}{6}$ = ☐

$\dfrac{3}{5}$ = ☐

$\dfrac{7}{8}$ = ☐

$\dfrac{2}{3}$ = ☐ = ☐

같은 수 곱하여 찾기

빈칸에 알맞은 수를 써넣으세요.

2등분한 것 중의 1

$\dfrac{1}{2}$

4등분한 것 중의 2

$\dfrac{1 \times 2}{2 \times 2} = \dfrac{\square}{\square}$

6등분한 것 중의 3

$\dfrac{1 \times \square}{2 \times \square} = \dfrac{\square}{\square}$

$\dfrac{6}{7}$

$\dfrac{6 \times \square}{7 \times \square} = \dfrac{\square}{\square}$

★ 크기가 같은 분수

분자와 분모에 0이 아닌 같은 수를 곱하면
크기가 같은 분수가 됩니다.

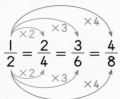

$$\dfrac{1}{2} = \dfrac{2}{4} = \dfrac{3}{6} = \dfrac{4}{8}$$

분자와 분모에 0이 아닌 같은 수를 나누면
크기가 같은 분수가 됩니다.

$$\dfrac{12}{18} = \dfrac{6}{9} = \dfrac{4}{6} = \dfrac{2}{3}$$

■ 빈칸에 알맞은 수를 써넣어 크기가 같은 분수를 만들어 보세요.

$\dfrac{1}{3} = \dfrac{2}{6} = \dfrac{3}{\square} = \dfrac{\square}{12}$

$\dfrac{1}{3} = \dfrac{1\times2}{3\times2} = \dfrac{2}{6},\ \dfrac{1}{3} = \dfrac{1\times3}{3\times3} = \dfrac{3}{9}$

$\dfrac{3}{4} = \dfrac{6}{\square} = \dfrac{\square}{12} = \dfrac{12}{\square}$

$\dfrac{1}{8} = \dfrac{2}{\square} = \dfrac{3}{\square} = \dfrac{\square}{32}$

$\dfrac{2}{7} = \dfrac{\square}{14} = \dfrac{6}{\square} = \dfrac{\square}{28}$

$\dfrac{4}{9} = \dfrac{\square}{18} = \dfrac{\square}{27} = \dfrac{16}{\square}$

$\dfrac{5}{8} = \dfrac{10}{\square} = \dfrac{\square}{24} = \dfrac{20}{\square}$

$\dfrac{1}{4} = \dfrac{\square}{32}$

분모를 8배 했으므로 분자도 8배 합니다.

$\dfrac{3}{8} = \dfrac{12}{\square}$

$\dfrac{4}{5} = \dfrac{\square}{15}$

$\dfrac{1}{2} = \dfrac{9}{\square}$

$\dfrac{3}{7} = \dfrac{\square}{42}$

$\dfrac{9}{10} = \dfrac{45}{\square}$

$\dfrac{7}{12} = \dfrac{\square}{48}$

$\dfrac{5}{11} = \dfrac{30}{\square}$

$\dfrac{7}{9} = \dfrac{\square}{81}$

📖 빈칸에 알맞은 수를 써넣으세요.

16등분한 것 중의 8

$$\frac{8}{16}$$

8등분한 것 중의 4

$$\frac{8 \div 2}{16 \div 2} = \frac{\square}{\square}$$

4등분한 것 중의 2

$$\frac{8 \div \square}{16 \div \square} = \frac{\square}{\square}$$

2등분한 것 중의 1

$$\frac{8 \div \square}{16 \div \square} = \frac{\square}{\square}$$

$$\frac{6}{18}$$

$$\frac{6 \div 2}{18 \div 2} = \frac{\square}{\square}$$

$$\frac{6 \div \square}{18 \div \square} = \frac{\square}{\square}$$

$$\frac{6 \div \square}{18 \div \square} = \frac{\square}{\square}$$

■ 빈칸에 알맞은 수를 써넣어 크기가 같은 분수를 만들어 보세요.

$$\frac{8}{32} = \frac{4}{16} = \frac{2}{\boxed{}} = \frac{\boxed{}}{4}$$

$$\frac{8}{32} = \frac{8 \div 2}{32 \div 2} = \frac{4}{16}, \quad \frac{8}{32} = \frac{8 \div 4}{32 \div 4} = \frac{2}{8}$$

$$\frac{8}{24} = \frac{4}{\boxed{}} = \frac{\boxed{}}{6} = \frac{1}{\boxed{}}$$

$$\frac{10}{20} = \frac{5}{\boxed{}} = \frac{\boxed{}}{4} = \frac{\boxed{}}{2}$$

$$\frac{24}{36} = \frac{\boxed{}}{12} = \frac{6}{\boxed{}} = \frac{\boxed{}}{3}$$

$$\frac{18}{24} = \frac{\boxed{}}{12} = \frac{\boxed{}}{8} = \frac{3}{\boxed{}}$$

$$\frac{45}{60} = \frac{15}{\boxed{}} = \frac{\boxed{}}{12} = \frac{3}{\boxed{}}$$

- -

$$\frac{4}{10} = \frac{\boxed{}}{5}$$

분모를 2로 나누었으므로 분자도 2로 나눕니다.

$$\frac{16}{20} = \frac{4}{\boxed{}}$$

$$\frac{8}{48} = \frac{\boxed{}}{6}$$

$$\frac{25}{35} = \frac{5}{\boxed{}}$$

$$\frac{24}{44} = \frac{\boxed{}}{11}$$

$$\frac{21}{45} = \frac{7}{\boxed{}}$$

$$\frac{25}{60} = \frac{\boxed{}}{12}$$

$$\frac{48}{54} = \frac{8}{\boxed{}}$$

$$\frac{27}{72} = \frac{\boxed{}}{8}$$

🔖 크기가 같은 분수끼리 이어 보세요.

$\dfrac{4}{5}$ •   • $\dfrac{10}{28}$ $\dfrac{7}{9}$ •   • $\dfrac{16}{30}$

$\dfrac{3}{7}$ •   • $\dfrac{12}{28}$ $\dfrac{7}{10}$ •   • $\dfrac{21}{27}$

$\dfrac{5}{14}$ •   • $\dfrac{20}{25}$ $\dfrac{8}{15}$ •   • $\dfrac{21}{30}$

$\dfrac{6}{21}$ •   • $\dfrac{2}{6}$ $\dfrac{35}{60}$ •   • $\dfrac{5}{6}$

$\dfrac{6}{18}$ •   • $\dfrac{3}{8}$ $\dfrac{40}{48}$ •   • $\dfrac{7}{12}$

$\dfrac{9}{24}$ •   • $\dfrac{2}{7}$ $\dfrac{45}{63}$ •   • $\dfrac{5}{7}$

주어진 분수와 크기가 같은 분수에 모두 ◯표 하세요.

$\dfrac{1}{3}$ — $\dfrac{3}{12}$　$\dfrac{2}{6}$　$\dfrac{5}{15}$　$\dfrac{2}{8}$　$\dfrac{7}{18}$　$\dfrac{3}{9}$

$\dfrac{3}{4}$ — $\dfrac{9}{12}$　$\dfrac{12}{18}$　$\dfrac{10}{16}$　$\dfrac{6}{8}$　$\dfrac{15}{20}$　$\dfrac{1}{2}$

$\dfrac{4}{10}$ — $\dfrac{12}{25}$　$\dfrac{1}{5}$　$\dfrac{12}{30}$　$\dfrac{2}{5}$　$\dfrac{18}{40}$　$\dfrac{8}{20}$

$\dfrac{8}{12}$ — $\dfrac{2}{3}$　$\dfrac{14}{24}$　$\dfrac{24}{36}$　$\dfrac{3}{4}$　$\dfrac{4}{6}$　$\dfrac{16}{28}$

$\dfrac{9}{18}$ — $\dfrac{4}{9}$　$\dfrac{1}{2}$　$\dfrac{14}{32}$　$\dfrac{3}{6}$　$\dfrac{16}{36}$　$\dfrac{27}{54}$

$\dfrac{12}{32}$ — $\dfrac{6}{16}$　$\dfrac{4}{9}$　$\dfrac{2}{6}$　$\dfrac{24}{64}$　$\dfrac{3}{8}$　$\dfrac{36}{90}$

25강 조건에 맞는 분수

📖 수 카드 중 2장을 골라 빈칸에 써넣어 크기가 같은 분수를 만들어 보세요.

| 10 | 12 | 5 |
| 25 | 20 |

$$\frac{3}{5} = \frac{\boxed{}}{\boxed{}}$$

| 45 | 18 | 25 |
| 36 | 15 |

$$\frac{5}{9} = \frac{\boxed{}}{\boxed{}}$$

| 48 | 42 | 54 |
| 63 | 21 |

$$\frac{6}{7} = \frac{\boxed{}}{\boxed{}}$$

| 3 | 8 | 16 |
| 9 | 4 |

$$\frac{18}{48} = \frac{\boxed{}}{\boxed{}}$$

| 8 | 1 | 3 |
| 6 | 12 |

$$\frac{24}{36} = \frac{\boxed{}}{\boxed{}}$$

| 3 | 6 | 5 |
| 10 | 2 |

$$\frac{10}{30} = \frac{\boxed{}}{\boxed{}}$$

📘 물음에 답하세요.

$\dfrac{1}{3}$과 크기가 같은 분수 중에서 분모가 12인 분수를 써 보세요.

(   )

$\dfrac{4}{5}$와 크기가 같은 분수 중에서 분자가 32인 분수를 써 보세요.

(   )

$\dfrac{2}{7}$와 크기가 같은 분수 중에서 분모가 35인 분수를 써 보세요.

(   )

$\dfrac{8}{20}$과 크기가 같은 분수 중에서 분자가 2인 분수를 써 보세요.

(   )

$\dfrac{6}{36}$과 크기가 같은 분수 중에서 분모가 6인 분수를 써 보세요.

(   )

■ 물음에 답하세요.

$\dfrac{1}{4}$과 크기가 같은 분수 중에서 분모와 분자의 합이 30인 분수를 써 보세요.

(   )

$\dfrac{5}{7}$와 크기가 같은 분수 중에서 분모와 분자의 합이 48인 분수를 써 보세요.

(   )

$\dfrac{2}{3}$와 크기가 같은 분수 중에서 분모와 분자의 합이 10보다 크고 25보다 작은 분수를 모두 써 보세요.

(   )

$\dfrac{5}{6}$와 크기가 같은 분수 중에서 분모가 15보다 크면서 분자가 25보다 작은 분수를 모두 써 보세요.

(   )

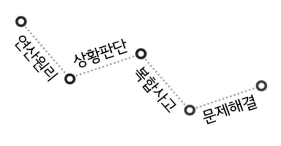

하루 한 장 75일
집중 완성

교과
연산

정답

초5

E0

<수특강> 약수와 배수

HERO

정답

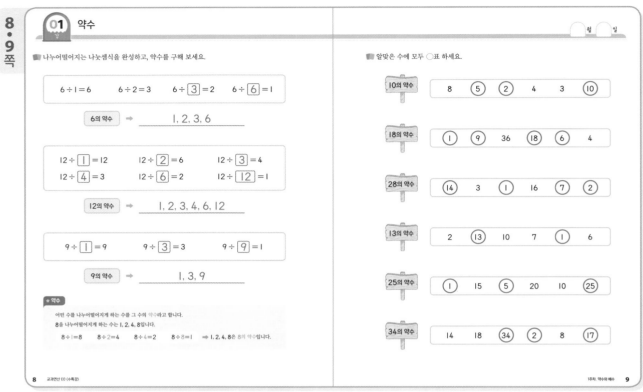

01강 약수

월 일

■ 나누어떨어지는 나눗셈식을 완성하고, 약수를 구해 보세요.

$6 \div 1 = 6$ $6 \div 2 = 3$ $6 \div \boxed{3} = 2$ $6 \div \boxed{6} = 1$

6의 약수 ➡ 1, 2, 3, 6

$12 \div \boxed{1} = 12$ $12 \div \boxed{2} = 6$ $12 \div \boxed{3} = 4$
$12 \div \boxed{4} = 3$ $12 \div \boxed{6} = 2$ $12 \div \boxed{12} = 1$

12의 약수 ➡ 1, 2, 3, 4, 6, 12

$9 \div \boxed{1} = 9$ $9 \div \boxed{3} = 3$ $9 \div \boxed{9} = 1$

9의 약수 ➡ 1, 3, 9

★ 약수

어떤 수를 나누어떨어지게 하는 수를 그 수의 약수라고 합니다.
8을 나누어떨어지게 하는 수는 1, 2, 4, 8입니다.
$8 \div 1 = 8$ $8 \div 2 = 4$ $8 \div 4 = 2$ $8 \div 8 = 1$ ➡ 1, 2, 4, 8은 8의 약수입니다.

■ 알맞은 수에 모두 ◯표 하세요.

10의 약수	8	⑤	②	4	3	⑩
18의 약수	①	⑨	36	⑱	⑥	4
28의 약수	⑭	3	①	16	⑦	②
13의 약수	2	⑬	10	7	①	6
25의 약수	①	15	⑤	20	10	㉕
34의 약수	14	18	㉞	②	8	⑰

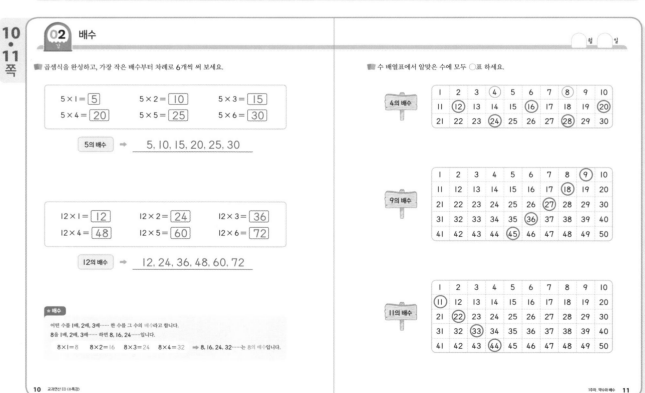

02강 배수

월 일

■ 곱셈식을 완성하고, 가장 작은 배수부터 차례로 6개씩 써 보세요.

$5 \times 1 = \boxed{5}$ $5 \times 2 = \boxed{10}$ $5 \times 3 = \boxed{15}$
$5 \times 4 = \boxed{20}$ $5 \times 5 = \boxed{25}$ $5 \times 6 = \boxed{30}$

5의 배수 ➡ 5, 10, 15, 20, 25, 30

$12 \times 1 = \boxed{12}$ $12 \times 2 = \boxed{24}$ $12 \times 3 = \boxed{36}$
$12 \times 4 = \boxed{48}$ $12 \times 5 = \boxed{60}$ $12 \times 6 = \boxed{72}$

12의 배수 ➡ 12, 24, 36, 48, 60, 72

★ 배수

어떤 수를 1배, 2배, 3배…… 한 수를 그 수의 배수라고 합니다.
8을 1배, 2배, 3배…… 하면 8, 16, 24……입니다.
$8 \times 1 = 8$ $8 \times 2 = 16$ $8 \times 3 = 24$ $8 \times 4 = 32$ ➡ 8, 16, 24, 32……는 8의 배수입니다.

■ 수 배열표에서 알맞은 수에 모두 ◯표 하세요.

4의 배수

1	2	3	④	5	6	7	⑧	9	10
11	⑫	13	14	15	⑯	17	18	19	⑳
21	22	23	㉔	25	26	27	㉘	29	30

9의 배수

1	2	3	4	5	6	7	8	⑨	10
11	12	13	14	15	16	17	⑱	19	20
21	22	23	24	25	26	㉗	28	29	30
31	32	33	34	35	㊱	37	38	39	40
41	42	43	44	㊺	46	47	48	49	50

11의 배수

1	2	3	4	5	6	7	8	9	10
⑪	12	13	14	15	16	17	18	19	20
21	㉒	23	24	25	26	27	28	29	30
31	32	㉝	34	35	36	37	38	39	40
41	42	43	㊹	45	46	47	48	49	50

03 약수와 배수의 관계 (1)

월 일

📖 두 수의 곱으로 나타내고, 빈칸에 알맞은 수를 써넣으세요.

$1 \times 14 = 14$
$2 \times 7 = 14$

$\boxed{1}$, $\boxed{2}$, $\boxed{7}$, $\boxed{14}$ 은/는 14의 약수입니다.
14는 $\boxed{1}$, $\boxed{2}$, $\boxed{7}$, $\boxed{14}$ 의 배수입니다.

1은 모든 자연수의 약수이고, 모든 자연수는 1의 배수입니다.

$\boxed{1} \times \boxed{16} = 16$
$\boxed{2} \times \boxed{8} = 16$
$\boxed{4} \times \boxed{4} = 16$

$\boxed{1}$, $\boxed{2}$, $\boxed{4}$, $\boxed{8}$, $\boxed{16}$ 은/는 16의 약수입니다.
16은 $\boxed{1}$, $\boxed{2}$, $\boxed{4}$, $\boxed{8}$, $\boxed{16}$ 의 배수입니다.

$\boxed{1} \times \boxed{28} = 28$
$\boxed{2} \times \boxed{14} = 28$
$\boxed{4} \times \boxed{7} = 28$

$\boxed{1}$, $\boxed{2}$, $\boxed{4}$, $\boxed{7}$, $\boxed{14}$, $\boxed{28}$ 은/는 28의 약수입니다.
28은 $\boxed{1}$, $\boxed{2}$, $\boxed{4}$, $\boxed{7}$, $\boxed{14}$, $\boxed{28}$ 의 배수입니다.

두 수를 곱하는 순서는 바뀌어도 됩니다.

★ 약수와 배수

곱셈식을 이용하여 약수와 배수의 관계를 알 수 있습니다.

$15 \div 1 = 15$ $15 \div 3 = 5$
$15 \div 5 = 3$ $15 \div 15 = 1$
➡ $1 \times 15 = 15$
$3 \times 5 = 15$
➡ 1, 3, 5, 15는 15의 약수입니다.
15는 1, 3, 5, 15의 배수입니다.

📖 주어진 수의 약수를 모두 써 보세요.

| 15의 약수 | ➡ | 1, 3, 5, 15 |

15를 두 수의 곱으로 나타내어 봅니다. $1 \times 15 = 15$, $3 \times 5 = 15$

| 24의 약수 | ➡ | 1, 2, 3, 4, 6, 8, 12, 24 |

$1 \times 24 = 24$, $2 \times 12 = 24$, $3 \times 8 = 24$, $4 \times 6 = 24$

| 27의 약수 | ➡ | 1, 3, 9, 27 |

$1 \times 27 = 27$, $3 \times 9 = 27$

| 36의 약수 | ➡ | 1, 2, 3, 4, 6, 9, 12, 18, 36 |

$1 \times 36 = 36$, $2 \times 18 = 36$, $3 \times 12 = 36$,
$4 \times 9 = 36$, $6 \times 6 = 36$

| 50의 약수 | ➡ | 1, 2, 5, 10, 25, 50 |

$1 \times 50 = 50$, $2 \times 25 = 50$, $5 \times 10 = 50$

| 44의 약수 | ➡ | 1, 2, 4, 11, 22, 44 |

$1 \times 44 = 44$, $2 \times 22 = 44$, $4 \times 11 = 44$

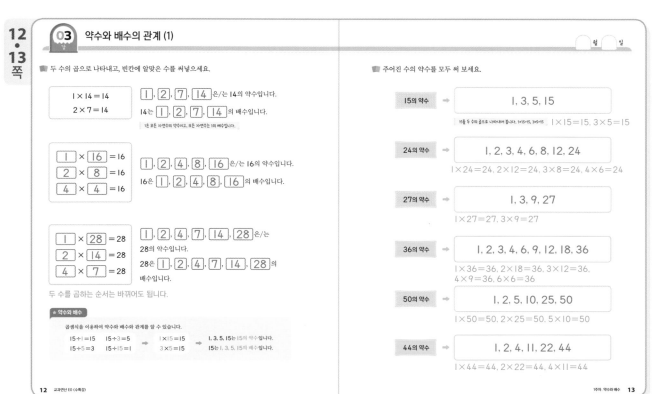

---

04 약수와 배수의 관계 (2)

월 일

📖 두 수가 약수와 배수의 관계인 것에 ○표 하세요.

| 4 Ⓞ 40 | 7 | 45 | 10 Ⓞ 100 |

큰 수를 작은 수로 나누어떨어지면
작은 수는 큰 수의 약수, 큰 수는 작은 수의 배수입니다.

| 16 | 42 | 14 Ⓞ 28 | 9 Ⓞ 81 |

| 2 Ⓞ 96 | 11 | 111 | 6 | 26 |

| 12 Ⓞ 48 | 3 Ⓞ 57 | 8 | 54 |

| 4 Ⓞ 32 | 20 | 90 | 15 Ⓞ 60 |

📖 약수와 배수의 관계인 수를 모두 찾아 써 보세요.

| 33 | 6 | 36 |
| 24 | 11 | 28 |

약수	배수
6	24
6	36
11	33

6은 24의 약수,
24는 6의 배수입니다.

| 4 | 16 | 45 |
| 15 | 35 | 9 |

약수	배수
4	16
9	45
15	45

| 13 | 21 | 34 |
| 3 | 28 | 42 |

약수	배수
3	21
3	42
21	42

| 12 | 18 | 8 |
| 40 | 54 | 5 |

약수	배수
5	40
8	40
18	54

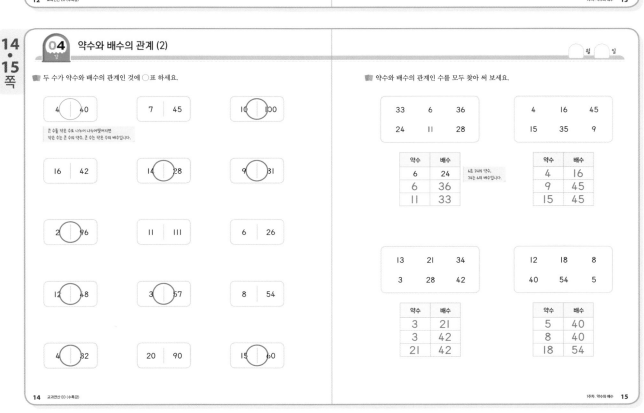

16·17쪽

05 조건에 맞는 수

월 일

📖 물음에 답하세요.

12의 배수를 가장 작은 수부터 차례로 썼습니다. 6번째 수는 얼마일까요?

(72)

12의 배수 중 가장 작은 수는 12입니다. 12, 24, 36, 48, 60, 72

9의 배수를 가장 작은 수부터 차례로 썼습니다. 12번째 수는 얼마일까요?

(108)

9, 18, 27, 36, 45, 54, 63, 72, 81, 90, 99, 108

어떤 수의 약수를 작은 수부터 차례로 썼더니 1, 2, 3, 5, 6, □, 15, 30입니다. □에 들어갈 수는 얼마일까요?

(10)

어떤 수의 약수 중 가장 큰 수는 어떤 수입니다. 어떤 수는 30입니다.

어떤 수의 약수를 작은 수부터 차례로 썼더니 1, 2, 4, 5, 8, 10, 20, □입니다. □에 들어갈 수는 얼마일까요?

(40)

2×20=40, 4×10=40, 5×8=40
20보다 크면서 20이 약수인 어떤 수는 40입니다.

15의 배수 중에서 100에 가장 가까운 수는 얼마일까요?

(105)

15, 30, 45, 60, 75, 90, 105

📖 물음에 답하세요.

버스터미널에서 버스가 오전 7시부터 11분 간격으로 출발합니다. 오전 7시부터 오전 8시까지 버스는 몇 번 출발할까요?

(6번)

오전 7시에도 버스가 출발합니다.
7시, 7시 11분, 7시 22분, 7시 33분, 7시 44분, 7시 55분

기차역에서 기차가 오전 9시부터 7분 간격으로 출발합니다. 오전 9시부터 오전 10시까지 기차는 몇 번 출발할까요?

(9번)

9시, 9시 7분, 9시 14분, 9시 21분, 9시 28분, 9시 35분, 9시 42분, 9시 49분, 9시 56분

승현이는 1부터 40까지의 수를 차례대로 말하면서 3의 배수인 수에는 손뼉을 쳤습니다. 승현이는 손뼉을 몇 번 쳤을까요?

(13번)

1부터 40까지의 수 중에서 3의 배수는 13개입니다.
(3×13=39)

규칙에 따라 바둑돌을 50개 놓았습니다. 흰 바둑돌은 몇 개 놓았을까요?

●●●○●●●●○●●●○ ……

(12개)

4의 배수 자리마다 흰 바둑돌이 놓입니다.
50보다 작은 수 중에서 4의 배수는 12개입니다.
(4×12=48)

18쪽

📖 설명에 맞는 수를 써 보세요.

• 5의 배수이고, 20의 약수입니다.
• 홀수입니다.

(5)

20의 약수 중 5의 배수: 1, 2, 4, ⑤ ⑩ ⑳

• 60의 약수입니다.
• 두 자리 수이고, 홀수입니다.

(15)

60의 약수: 1, 2, 3, 4, 5, 6, 10, 12, 15, 20, 30, 60

• 24의 약수입니다.
• 3의 배수입니다.
• 5보다 크고 10보다 작은 수입니다.

(6)

24의 약수 중 3의 배수: 1, 2, ③ 4, ⑥ 8, ⑫ ㉔

• 15보다 크고 30보다 작은 수입니다.
• 8의 배수입니다.
• 32의 약수입니다.

(16)

32의 약수 중 8의 배수: 1, 2, 4, ⑧ ⑯ ㉜

• 6의 배수입니다.
• 48의 약수입니다.
• 10보다 크고 20보다 작은 수입니다.

(12)

48의 약수 중 6의 배수: 1, 2, 3, 4, ⑥ 8, ⑫ 16, ㉔ ㊽

06 공통된 약수

📖 두 수의 약수를 보고, 공약수와 최대공약수를 구해 보세요.

| 10의 약수: 1, 2, 5, 10 |
| 15의 약수: 1, 3, 5, 15 |

10과 15의 공약수 (1, 5)

10과 15의 최대공약수 (5)

공약수는 두 수의 공통된 약수,
최대공약수는 공약수 중 가장 큰 수입니다.

| 13의 약수: 1, 13 |
| 26의 약수: 1, 2, 13, 26 |

13과 26의 공약수 (1, 13)

13과 26의 최대공약수 (13)

| 27의 약수: 1, 3, 9, 27 |
| 45의 약수: 1, 3, 5, 9, 15, 45 |

27과 45의 공약수 (1, 3, 9)

27과 45의 최대공약수 (9)

| 18의 약수: 1, 2, 3, 6, 9, 18 |
| 24의 약수: 1, 2, 3, 4, 6, 8, 12, 24 |

18과 24의 공약수 (1, 2, 3, 6)

18과 24의 최대공약수 (6)

★ 공약수와 최대공약수

8의 약수: 1, 2, 4, 8   12의 약수: 1, 2, 3, 4, 6, 12

1, 2, 4는 8의 약수도 되고, 12의 약수도 됩니다. 8과 12의 공통된 약수 1, 2, 4를 8과 12의 공약수라고 하고,
공약수 중에서 가장 큰 수인 4를 8과 12의 최대공약수라고 합니다.

📖 빈 곳에 알맞은 수를 모두 써 보세요.

14의 약수	1, 2, 7, 14
21의 약수	1, 3, 7, 21
14와 21의 최대공약수	7

8의 약수	1, 2, 4, 8
16의 약수	1, 2, 4, 8, 16
8과 16의 최대공약수	8

20의 약수	1, 2, 4, 5, 10, 20
30의 약수	1, 2, 3, 5, 6, 10, 15, 30
20과 30의 최대공약수	10

44의 약수	1, 2, 4, 11, 22, 44
66의 약수	1, 2, 3, 6, 11, 22, 33, 66
44와 66의 최대공약수	22

07 곱셈과 최대공약수

📖 1을 제외한 여러 수의 곱으로 나타내고, 최대공약수를 구해 보세요.

| $10 = 2 \times 5$ $35 = 5 \times 7$ |

10과 35의 최대공약수: $\boxed{5}$

10은 2와 5, 35는 5와 7로 나눌 수 있습니다.

$12 = 3 \times 4$ $18 = 2 \times 9$
$12 = 3 \times \boxed{2} \times \boxed{2}$ $18 = 2 \times \boxed{3} \times \boxed{3}$

12와 18의 최대공약수: $\boxed{6}$

$28 = 4 \times 7$ $42 = 6 \times 7$
$28 = \boxed{2} \times \boxed{2} \times 7$ $42 = \boxed{2} \times \boxed{3} \times 7$

28과 42의 최대공약수: $\boxed{14}$

곱하는 순서는 바뀌어도 됩니다.

★ 최대공약수 (1)

최대공약수는 두 수를 공통으로 나눌 수 있는 수 중 가장 큰 수입니다.
따라서 두 수를 여러 수의 곱셈식으로 나타낸 다음, 공통으로 들어 있는 수 중 가장 큰 수를 찾습니다.

$8 = 2 \times 4$ $12 = 2 \times 6$
$8 = 2 \times 2 \times 2$ $12 = 2 \times 2 \times 3$ 2×2가 공통으로 들어 있으므로 8과 12의 최대공약수는 4입니다.

📖 1을 제외한 여러 수의 곱으로 나타내고, 최대공약수를 구해 보세요.

$15 = 3 \times 5$
$25 = \boxed{5} \times \boxed{5}$
15와 25의 최대공약수: $\boxed{5}$

$14 = \boxed{2} \times \boxed{7}$
$21 = \boxed{3} \times \boxed{7}$
14와 21의 최대공약수: $\boxed{7}$

$28 = 2 \times \boxed{2} \times \boxed{7}$
$35 = \boxed{5} \times \boxed{7}$
28과 35의 최대공약수: $\boxed{7}$

$39 = \boxed{3} \times \boxed{13}$
$52 = \boxed{2} \times \boxed{2} \times \boxed{13}$
39와 52의 최대공약수: $\boxed{13}$

$27 = \boxed{3} \times \boxed{3} \times \boxed{3}$
$18 = \boxed{2} \times \boxed{3} \times \boxed{3}$
27과 18의 최대공약수: $\boxed{9}$

$30 = \boxed{2} \times \boxed{3} \times \boxed{5}$
$50 = \boxed{2} \times \boxed{5} \times \boxed{5}$
30과 50의 최대공약수: $\boxed{10}$

$8 = \boxed{2} \times \boxed{2} \times \boxed{2}$
$16 = \boxed{2} \times \boxed{2} \times \boxed{2} \times \boxed{2}$
8과 16의 최대공약수: $\boxed{8}$

$36 = \boxed{2} \times \boxed{2} \times \boxed{3} \times \boxed{3}$
$20 = \boxed{2} \times \boxed{2} \times \boxed{5}$
36과 20의 최대공약수: $\boxed{4}$

곱하는 순서는 바뀌어도 됩니다.

24·25쪽

08 나눗셈과 최대공약수

◻ 빈칸에 알맞은 수를 써넣어 최대공약수를 구해 보세요.

```
2 ) 28  42
7 ) 14  21
      2   3
```
최대공약수: 2×7= 14

```
5 ) 60  75
3 ) 12  15
      4   5
```
최대공약수: 5 × 3 = 15

```
2 ) 24  32
2 ) 12  16
2 )  6   8
      3   4
```
최대공약수: 2 × 2 × 2 = 8

```
2 ) 30  90
3 ) 15  45
5 )  5  15
      1   3
```
최대공약수: 2 × 3 × 5 = 30

두 수 또는 세 수를 곱하는 순서는 바뀌어도 됩니다.

★ 최대공약수 (2)

공약수는 두 수를 공통으로 나눌 수 있는 수이므로 두 수를 공약수로 계속 나누어 가며 최대공약수를 찾습니다.
1을 제외한 공약수로 더 이상 나눌 수 없을 때까지 계속 나눕니다.

```
18=2×3×3          18과 30의 공약수→ 2 ) 18  30
            →     9와 15의 공약수→ 3 )  9  15  … 18÷2=9, 30÷2=15
30=2×3×5                              3   5   …  9÷3=3, 15÷3=5
```
2×3으로 나눌 수 있으므로 18과 30의 최대공약수는 6입니다.

◻ 빈칸에 알맞은 수를 써넣어 최대공약수를 구해 보세요.

```
4 ) 12  20
      3   5
```
12와 20의 최대공약수: 4

```
6 ) 18  24
      3   4
```
18과 24의 최대공약수: 6

```
3 ) 27  36      27=3×3×3
3 )  9  12      36=3×3×4
      3   4
```
27과 36의 최대공약수: 9

```
2 ) 20  50
5 ) 10  25
      2   5
```
20과 50의 최대공약수: 10

```
2 ) 24  42
3 ) 12  21
      4   7
```
24와 42의 최대공약수: 6

```
5 ) 75  60
3 ) 15  12
      5   4
```
75와 60의 최대공약수: 15

```
2 ) 30  18
3 ) 15   9
      5   3
```
30과 18의 최대공약수: 6

```
7 ) 63  84
3 )  9  12
      3   4
```
63과 84의 최대공약수: 21

26·27쪽

09 두 수의 최대공약수

◻ 공약수로 나누는 방법을 이용하여 두 수의 최대공약수를 구해 보세요.

```
3 )  9  15
      3   5
```
최대공약수: 3

```
7 ) 56  21
      8   3
```
최대공약수: 7

```
2 ) 20  40
2 ) 10  20
5 )  5  10
      1   2
```
최대공약수: 20

```
3 ) 24  36
2 )  8  12
2 )  4   6
      2   3
```
최대공약수: 12

```
3 ) 81  45
3 ) 27  15
      9   5
```
최대공약수: 9

```
2 ) 72  54
3 ) 36  27
3 ) 12   9
      4   3
```
최대공약수: 18

여러 가지 방법으로 공약수로 나눌 수 있습니다.

◻ 두 수의 최대공약수를 구해 보세요.

| 6 | 15 |
(3)

| 20 | 4 |
(4)

| 16 | 36 |
(4)

| 75 | 45 |
(15)

| 26 | 39 |
(13)

| 40 | 64 |
(8)

| 45 | 60 |
(15)

| 84 | 56 |
(28)

10 최대공약수의 약수

📖 물음에 답하세요.

| 16 | 40 |

두 수의 공약수를 모두 구해 보세요.
16의 약수: 1, 2, 4, 8, 16
40의 약수: 1, 2, 4, 5, 8, 10, 20, 40

(1, 2, 4, 8)

두 수의 최대공약수를 구해 보세요.

(8)

두 수의 최대공약수의 약수를 모두 구해 보세요.

(1, 2, 4, 8)

*어떤 두 수의 최대공약수의 약수는 어떤 두 수의 공약수와 같습니다.

| 14 | 28 |

두 수의 공약수를 모두 구해 보세요.
14의 약수: 1, 2, 7, 14
28의 약수: 1, 2, 4, 7, 14, 28

(1, 2, 7, 14)

두 수의 최대공약수를 구해 보세요.

(14)

두 수의 최대공약수의 약수를 모두 구해 보세요.

(1, 2, 7, 14)

📖 물음에 답하세요.

12와 18을 어떤 수로 나누면 두 수가 모두 나누어떨어집니다. 어떤 수 중 가장 큰 수는 얼마일까요?

두 수 모두 나누어떨어지는 수는 공약수입니다.
공약수 중 가장 큰 수는 최대공약수이므로
12와 18의 최대공약수를 구합니다.

(6)

20과 30을 어떤 수로 나누면 두 수가 모두 나누어떨어집니다. 어떤 수 중 가장 큰 수는 얼마일까요?

$20 = 2 \times 2 \times 5 \rightarrow 20 \div 10 = 2$
$30 = 2 \times 3 \times 5 \rightarrow 30 \div 10 = 3$

(10)

36과 54를 어떤 수로 나누면 두 수가 모두 나누어떨어집니다. 어떤 수 중 가장 큰 수는 얼마일까요?

36과 54의 최대공약수: 18

(18)

48과 84를 어떤 수로 나누면 두 수가 모두 나누어떨어집니다. 어떤 수 중 가장 큰 수는 얼마일까요?

48과 84의 최대공약수: 12

(12)

📖 물음에 답하세요.

어떤 두 수의 최대공약수가 10입니다. 두 수의 공약수를 모두 써 보세요.

두 수의 공약수는 두 수의 최대공약수의
약수와 같습니다.

(1, 2, 5, 10)

어떤 두 수의 최대공약수가 16입니다. 두 수의 공약수를 모두 써 보세요.

(1, 2, 4, 8, 16)

어떤 두 수의 최대공약수가 12입니다. 두 수의 공약수는 모두 몇 개일까요?

두 수의 공약수: 1, 2, 3, 4, 6, 12

(6개)

어떤 두 수의 최대공약수가 25입니다. 두 수의 공약수는 모두 몇 개일까요?

두 수의 공약수: 1, 5, 25

(3개)

11 공통된 배수

두 수의 배수를 보고, 공배수와 최소공배수를 구해 보세요.

> 3의 배수: 3, 6, 9, 12, 15, 18, 21, 24, 27, 30, 33, 36……
> 5의 배수: 5, 10, 15, 20, 25, 30, 35, 40, 45, 50, 55, 60……

공배수는 두 수의 공통된 배수, 최소공배수는 공배수 중 가장 작은 수입니다.

공배수 (15, 30) 최소공배수 (15)

> 4의 배수: 4, 8, 12, 16, 20, 24, 28, 32, 36, 40, 44, 48……
> 6의 배수: 6, 12, 18, 24, 30, 36, 42, 48, 54, 60, 66, 72……

공배수 (12, 24, 36, 48) 최소공배수 (12)

> 3의 배수: 3, 6, 9, 12, 15, 18, 21, 24, 27, 30, 33, 36……
> 9의 배수: 9, 18, 27, 36, 45, 54, 63, 72, 81, 90, 99, 108……

9는 3의 배수이므로 9의 배수는 항상 3의 배수입니다.

공배수 (9, 18, 27, 36) 최소공배수 (9)

★ 공배수와 최소공배수

3의 배수: 3, 6, 9, 12, 15, 18, 21, 24, 27, 30, 33, 36, 39, 42, 45, 48……
4의 배수: 4, 8, 12, 16, 20, 24, 28, 32, 36, 40, 44, 48……

12, 24, 36, 48은 3의 배수도 되고, 4의 배수도 됩니다. 3과 4의 공통된 배수 12, 24, 36, 48을
3과 4의 공배수라고 하고, 공배수 중에서 가장 작은 수인 12를 3과 4의 최소공배수라고 합니다.

표에 배수를 작은 수부터 써넣고, 표를 보고 공배수와 최소공배수를 구해 보세요.

2의 배수	2	4	6	8	10	12	14	16	18	20	…
3의 배수	3	6	9	12	15	18	21	24	27	30	…

공배수 (6, 12, 18) 최소공배수 (6)

5의 배수	5	10	15	20	25	30	35	40	45	50	…
10의 배수	10	20	30	40	50	60	70	80	90	100	…

공배수 (10, 20, 30, 40, 50) 최소공배수 (10)

6의 배수	6	12	18	24	30	36	42	48	54	60	…
8의 배수	8	16	24	32	40	48	56	64	72	80	…

공배수 (24, 48) 최소공배수 (24)

9의 배수	9	18	27	36	45	54	63	72	81	90	…
6의 배수	6	12	18	24	30	36	42	48	54	60	…

공배수 (18, 36, 54) 최소공배수 (18)

---

12 곱셈과 최소공배수

1을 제외한 여러 수의 곱으로 나타내고, 최소공배수를 구해 보세요.

> 6 = 2 × 3 15 = 3 × 5

6과 15의 최소공배수: 30
3 × 2 × 5 = 30

공통인 수 3은 한 번만 곱하고, 공통이 아닌 수 2와 5를 모두 곱합니다.

> 8 = 2 × 4 18 = 2 × 9
> 8 = 2 × 2 × 2 18 = 2 × 3 × 3

8과 18의 최소공배수: 72
2 × 2 × 2 × 3 × 3 = 72

> 12 = 2 × 6 20 = 4 × 5
> 12 = 2 × 2 × 3 20 = 2 × 2 × 5

12와 20의 최소공배수: 60
2 × 2 × 3 × 5 = 60

곱하는 순서는 바뀌어도 됩니다.

★ 최소공배수 (1)

8과 12에서 두 수의 곱 8×12=96은 8의 12배이고, 12의 8배이므로 8과 12의 공배수입니다.
8과 12를 여러 수의 곱으로 나타내면 2×2가 공통으로 들어 있습니다.
8과 12의 공배수 8×12=(2×2×2)×(2×2×3)에서 공통으로 들어 있는 2×2를 한 번만 곱하면
최소공배수를 구할 수 있습니다.

8 = 2 × 4   12 = 2 × 6
8 = 2 × 2 × 2   12 = 2 × 2 × 3   8과 12의 최소공배수: 2×2×2×3=24

1을 제외한 여러 수의 곱으로 나타내고, 최소공배수를 구해 보세요.

> 10 = 2 × 5
> 35 = 5 × 7

10과 35의 최소공배수: 70
5 × 2 × 7 = 70

> 9 = 3 × 3
> 15 = 3 × 5

9와 15의 최소공배수: 45
3 × 3 × 5 = 45

> 20 = 2 × 2 × 5
> 25 = 5 × 5

20과 25의 최소공배수: 100
5 × 2 × 2 × 5 = 100

> 21 = 3 × 7
> 28 = 2 × 2 × 7

21과 28의 최소공배수: 84
7 × 3 × 2 × 2 = 84

> 27 = 3 × 3 × 3
> 63 = 3 × 3 × 7

27과 63의 최소공배수: 189
3 × 3 × 3 × 7 = 189

> 18 = 2 × 3 × 3
> 30 = 2 × 3 × 5

18과 30의 최소공배수: 90
2 × 3 × 3 × 5 = 90

> 12 = 2 × 2 × 3
> 36 = 2 × 2 × 3 × 3

12와 36의 최소공배수: 36
2 × 2 × 3 × 3 = 36

> 30 = 2 × 3 × 5
> 50 = 2 × 5 × 5

30과 50의 최소공배수: 150
2 × 5 × 3 × 5 = 150

곱하는 순서는 바뀌어도 됩니다.

13 나눗셈과 최소공배수

📖 빈칸에 알맞은 수를 써넣어 최소공배수를 구해 보세요.

```
3 ) 15  30
5 )  5  10
      1   2
```
최소공배수: 3×5×1×2= [30]

```
2 ) 12  16
2 )  6   8
      3   4
```
최소공배수: [2]×[2]×[3]×[4]= [48]

```
2 ) 24  30
3 ) 12  15
      4   5
```
최소공배수: [2]×[3]×[4]×[5]= [120]

네 수를 곱하는 순서는 바꾸어도 됩니다.

★ **최소공배수 (2)**

두 수 12와 42에서 공통으로 들어 있는 수 2×3은 두 수의 공약수이므로 최소공배수는 공약수(2×3)와 나머지 수(2, 7)를 곱하는 것과 같습니다.

12=2×2×3
42=2×3×7
→
12와 42의 공약수
6과 21의 공약수
```
2 ) 12  42
3 )  6  21
      2   7
```
→
12와 42의 최소공배수는
2×3×2×7=84입니다.

📖 빈칸에 알맞은 수를 써넣어 최소공배수를 구해 보세요.

```
6 ) 12  18
     2   3
```
12와 18의 최소공배수: [36]
6×2×3=36

```
[2] )  6   8
       3   4
```
6과 8의 최소공배수: [24]
2×3×4=24

```
3 ) 36  30       36=3×2×6
2 ) 12  10       30=3×2×5
     6   5
```
36과 30의 최소공배수: [180]
3×2×6×5=180

```
[3] ) 18  27
[3] )  6   9
        2   3
```
18과 27의 최소공배수: [54]
3×3×2×3=54

```
[2] ) 20  28
[2] ) 10  14
        5   7
```
20과 28의 최소공배수: [140]
2×2×5×7=140

```
[2] ) 22  44
[11] ) 11  22
         1   2
```
22와 44의 최소공배수: [44]
2×11×1×2=44

```
[3] ) 27  45
[3] )  9  15
        3   5
```
27과 45의 최소공배수: [135]
3×3×3×5=135

```
[7] ) 42  56
[2] )  6   8
        3   4
```
42와 56의 최소공배수: [168]
7×2×3×4=168

14 두 수의 최소공배수

📖 공약수로 나누는 방법을 이용하여 두 수의 최소공배수를 구해 보세요.

```
2 )  8  14
     4   7
```
최소공배수: [56]

```
9 ) 18  27
     2   3
```
최소공배수: [54]

```
2 ) 16  24
2 )  8  12
2 )  4   6
     2   3
```
최소공배수: [48]

```
5 ) 60  40
2 ) 12   8
2 )  6   4
     3   2
```
최소공배수: [120]

```
2 ) 36  72
2 ) 18  36
3 )  9  18
3 )  3   6
     1   2
```
최소공배수: [72]

```
3 ) 24  30
2 )  8  10
     4   5
```
최소공배수: [120]

여러 가지 방법으로 공약수로 나눌 수 있습니다.

📖 두 수의 최소공배수를 구해 보세요.

| 4 | 9 |
(36)

| 14 | 6 |
(42)

| 12 | 48 |
(48)

| 42 | 24 |
(168)

| 28 | 70 |
(140)

| 30 | 42 |
(210)

| 60 | 45 |
(180)

| 36 | 84 |
(252)

40·41쪽

15 최소공배수의 배수

월   일

📖 물음에 답하세요.

| 10 | | 15 |

두 수의 공배수를 작은 수부터 **3개** 써 보세요.
10의 배수: 10, 20, 30, 40, 50, 60, 70, 80, 90······   (30, 60, 90)
15의 배수: 15, 30, 45, 60, 75, 90······

두 수의 최소공배수를 구해 보세요.   (30)

최소공배수의 배수를 작은 수부터 **3개** 써 보세요.   (30, 60, 90)

*어떤 두 수의 최소공배수의 배수는 어떤 두 수의 공배수와 같습니다.

| 13 | | 26 |

두 수의 공배수를 작은 수부터 **3개** 써 보세요.
13의 배수: 13, 26, 39, 52, 65, 78······   (26, 52, 78)
26의 배수: 26, 52, 78······

두 수의 최소공배수를 구해 보세요.   (26)

최소공배수의 배수를 작은 수부터 **3개** 써 보세요.   (26, 52, 78)

📖 물음에 답하세요.

어떤 두 수의 최소공배수가 **9**일 때 두 수의 공배수를 작은 것부터 **3개** 써 보세요.

최소공배수는 공배수 중에서 가장 작은 수입니다.
두 수의 공배수는 최소공배수의 배수입니다.   (9, 18, 27)

어떤 두 수의 최소공배수가 **21**일 때 두 수의 공배수를 작은 것부터 **3개** 써 보세요.
(21, 42, 63)

어떤 두 수의 최소공배수가 **8**일 때 두 수의 공배수 중 **5**번째로 작은 수를 써 보세요.
공배수: 8, 16, 24, 32, 40······   (40)

어떤 두 수의 최소공배수가 **15**일 때 두 수의 공배수 중 **5**번째로 작은 수를 써 보세요.
공배수: 15, 30, 45, 60, 75······   (75)

42쪽

📖 물음에 답하세요.

50보다 작은 수 중에서 **6**의 배수이면서 **9**의 배수인 수를 모두 써 보세요.

6과 9의 최소공배수: 18   (18, 36)
6과 9의 공배수: 18, 36, 54······

40보다 크고 **70**보다 작은 수 중에서 **7**의 배수이면서 **8**의 배수인 수를 써 보세요.

7과 8의 최소공배수: 56   (56)
7과 8의 공배수: 56, 112······

4와 **6**의 공배수 중에서 **30**보다 크고 **50**보다 작은 수를 모두 써 보세요.

4와 6의 최소공배수: 12   (36, 48)
4와 6의 공배수: 12, 24, 36, 48, 60······

12와 **16**의 공배수 중에서 **80**보다 크고 **100**보다 작은 수를 써 보세요.

12와 16의 최소공배수: 48   (96)
12와 16의 공배수: 48, 96, 144······

16 곱셈과 약수, 배수

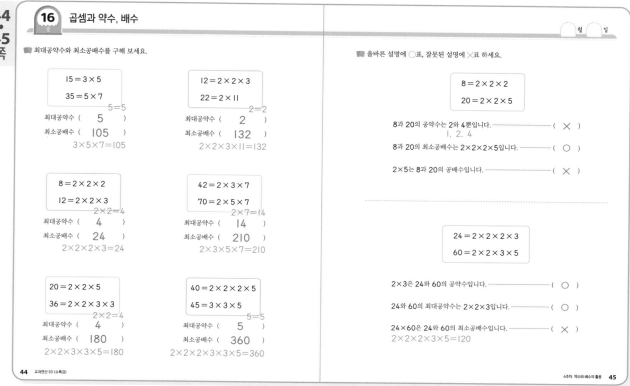

최대공약수와 최소공배수를 구해 보세요.

15 = 3 × 5
35 = 5 × 7
⎯⎯5 = 5

최대공약수 (5)
최소공배수 (105)
3×5×7=105

12 = 2 × 2 × 3
22 = 2 × 11
⎯⎯2 = 2

최대공약수 (2)
최소공배수 (132)
2×2×3×11=132

8 = 2 × 2 × 2
12 = 2 × 2 × 3
2×2=4

최대공약수 (4)
최소공배수 (24)
2×2×2×3=24

42 = 2 × 3 × 7
70 = 2 × 5 × 7
2×7=14

최대공약수 (14)
최소공배수 (210)
2×3×5×7=210

20 = 2 × 2 × 5
36 = 2 × 2 × 3 × 3
2×2=4

최대공약수 (4)
최소공배수 (180)
2×2×3×3×5=180

40 = 2 × 2 × 2 × 5
45 = 3 × 3 × 5
5=5

최대공약수 (5)
최소공배수 (360)
2×2×2×3×3×5=360

올바른 설명에 ○표, 잘못된 설명에 ✕표 하세요.

8 = 2 × 2 × 2
20 = 2 × 2 × 5

8과 20의 공약수는 2와 4뿐입니다. ·········· (✕)
1, 2, 4
8과 20의 최소공배수는 2×2×2×5입니다. ·········· (○)

2×5는 8과 20의 공배수입니다. ·········· (✕)

24 = 2 × 2 × 2 × 3
60 = 2 × 2 × 3 × 5

2×3은 24와 60의 공약수입니다. ·········· (○)

24와 60의 최대공약수는 2×2×3입니다. ·········· (○)

24×60은 24와 60의 최소공배수입니다. ·········· (✕)
2×2×2×3×5=120

17 나눗셈과 약수, 배수

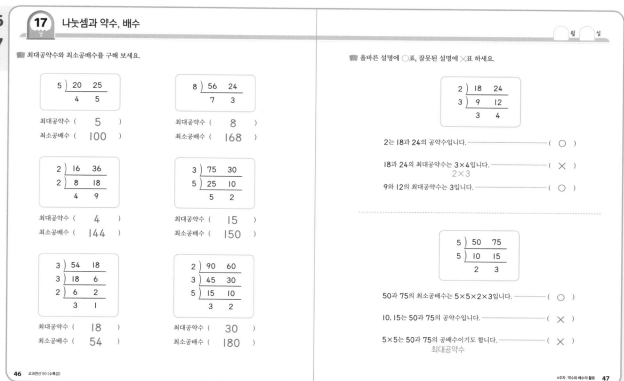

최대공약수와 최소공배수를 구해 보세요.

5) 20 25
⎯⎯⎯⎯⎯⎯
    4   5

최대공약수 (5)
최소공배수 (100)

8) 56 24
⎯⎯⎯⎯⎯⎯
    7   3

최대공약수 (8)
최소공배수 (168)

2) 16 36
2) 8 18
⎯⎯⎯⎯⎯⎯
     4   9

최대공약수 (4)
최소공배수 (144)

3) 75 30
5) 25 10
⎯⎯⎯⎯⎯⎯
     5   2

최대공약수 (15)
최소공배수 (150)

3) 54 18
3) 18   6
2) 6   2
⎯⎯⎯⎯⎯⎯
     3   1

최대공약수 (18)
최소공배수 (54)

2) 90 60
3) 45 30
5) 15 10
⎯⎯⎯⎯⎯⎯
     3   2

최대공약수 (30)
최소공배수 (180)

올바른 설명에 ○표, 잘못된 설명에 ✕표 하세요.

2) 18 24
3) 9 12
⎯⎯⎯⎯⎯⎯
     3   4

2는 18과 24의 공약수입니다. ·········· (○)

18과 24의 최대공약수는 3×4입니다. ·········· (✕)
2×3
9와 12의 최대공약수는 3입니다. ·········· (○)

5) 50 75
5) 10 15
⎯⎯⎯⎯⎯⎯
     2   3

50과 75의 최소공배수는 5×5×2×3입니다. ·········· (○)

10, 15는 50과 75의 공약수입니다. ·········· (✕)

5×5는 50과 75의 공배수이기도 합니다. ·········· (✕)
최대공약수

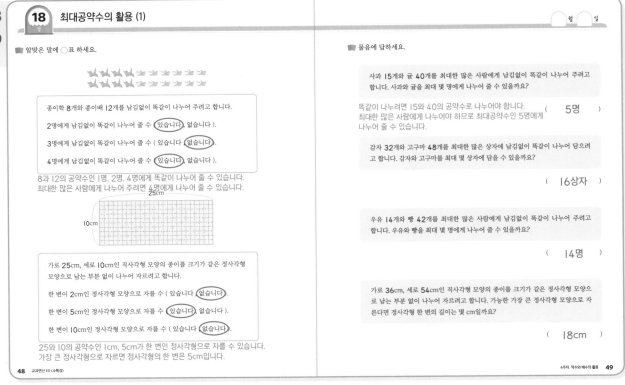

18강 최대공약수의 활용 (1)

📖 알맞은 말에 ○표 하세요.

종이학 8개와 종이배 12개를 남김없이 똑같이 나누어 주려고 합니다.

2명에게 남김없이 똑같이 나누어 줄 수 (있습니다, 없습니다).

3명에게 남김없이 똑같이 나누어 줄 수 (있습니다, 없습니다).

4명에게 남김없이 똑같이 나누어 줄 수 (있습니다, 없습니다).

8과 12의 공약수인 1명, 2명, 4명에게 똑같이 나누어 줄 수 있습니다.
최대한 많은 사람에게 나누어 주려면 4명에게 나누어 줄 수 있습니다.

가로 25cm, 세로 10cm인 직사각형 모양의 종이를 크기가 같은 정사각형 모양으로 남는 부분 없이 나누어 자르려고 합니다.

한 변이 2cm인 정사각형 모양으로 자를 수 (있습니다, 없습니다).

한 변이 5cm인 정사각형 모양으로 자를 수 (있습니다, 없습니다).

한 변이 10cm인 정사각형 모양으로 자를 수 (있습니다, 없습니다).

25와 10의 공약수인 1cm, 5cm가 한 변인 정사각형으로 자를 수 있습니다.
가장 큰 정사각형으로 자르면 정사각형의 한 변은 5cm입니다.

📖 물음에 답하세요.

사과 15개와 귤 40개를 최대한 많은 사람에게 남김없이 똑같이 나누어 주려고 합니다. 사과와 귤을 최대 몇 명에게 나누어 줄 수 있을까요?

똑같이 나누려면 15와 40의 공약수로 나누어야 합니다.
최대한 많은 사람에게 나누어야 하므로 최대공약수인 5명에게
나누어 줄 수 있습니다.   (5명)

감자 32개와 고구마 48개를 최대한 많은 상자에 남김없이 똑같이 나누어 담으려고 합니다. 감자와 고구마를 최대 몇 상자에 담을 수 있을까요?

(16상자)

우유 14개와 빵 42개를 최대한 많은 사람에게 남김없이 똑같이 나누어 주려고 합니다. 우유와 빵을 최대 몇 명에게 나누어 줄 수 있을까요?

(14명)

가로 36cm, 세로 54cm인 직사각형 모양의 종이를 크기가 같은 정사각형 모양으로 남는 부분 없이 나누어 자르려고 합니다. 가능한 가장 큰 정사각형 모양으로 자른다면 정사각형 한 변의 길이는 몇 cm일까요?

(18cm)

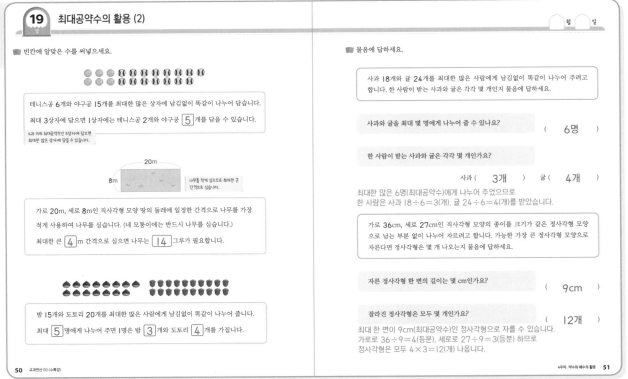

19강 최대공약수의 활용 (2)

📖 빈칸에 알맞은 수를 써넣으세요.

테니스공 6개와 야구공 15개를 최대한 많은 상자에 남김없이 똑같이 나누어 담습니다.

최대 3상자에 담으면 1상자에는 테니스공 2개와 야구공 5개를 담을 수 있습니다.

6과 15의 최대공약수인 3상자에 담으면
최대한 많은 상자에 담을 수 있습니다.

가로 20m, 세로 8m인 직사각형 모양 땅의 둘레에 일정한 간격으로 나무를 가장 적게 사용하여 나무를 심습니다. (네 모퉁이에는 반드시 나무를 심습니다.)

나무를 적게 심으므로 최대한 큰 간격으로 심습니다.

최대한 큰 4m 간격으로 심으면 나무는 14그루가 필요합니다.

밤 15개와 도토리 20개를 최대한 많은 사람에게 남김없이 똑같이 나누어 줍니다.

최대 5명에게 나누어 주면 1명은 밤 3개와 도토리 4개를 가집니다.

📖 물음에 답하세요.

사과 18개와 귤 24개를 최대한 많은 사람에게 남김없이 똑같이 나누어 주려고 합니다. 한 사람이 받는 사과와 귤은 각각 몇 개인지 물음에 답하세요.

사과와 귤을 최대 몇 명에게 나누어 줄 수 있나요?   (6명)

한 사람이 받는 사과와 귤은 각각 몇 개인가요?

사과 (3개) 귤 (4개)

최대한 많은 6명(최대공약수)에게 나누어 주었으므로
한 사람은 사과 18÷6=3(개), 귤 24÷6=4(개)를 받았습니다.

가로 36cm, 세로 27cm인 직사각형 모양의 종이를 크기가 같은 정사각형 모양으로 남는 부분 없이 나누어 자르려고 합니다. 가능한 가장 큰 정사각형 모양으로 자른다면 정사각형은 몇 개 나오는지 물음에 답하세요.

자른 정사각형 한 변의 길이는 몇 cm인가요?   (9cm)

잘라진 정사각형은 모두 몇 개인가요?   (12개)

최대 한 변이 9cm(최대공약수)인 정사각형으로 자를 수 있습니다.
가로로 36÷9=4(등분), 세로로 27÷9=3(등분)하므로
정사각형은 모두 4×3=12(개) 나옵니다.

20 최소공배수의 활용

📖 물음에 답하세요.

다예와 도운이가 수를 1부터 차례대로 말하면서 다예는 3의 배수마다 손뼉을 치고, 도운이는 4의 배수마다 손뼉을 칩니다. 두 사람이 처음으로 동시에 손뼉을 치는 수는 무엇일까요?

다예 1 2 3 4 5 6 7 8 …… 9 10 11 12
도운 1 2 3 4 5 6 7 8 …… 9 10 11 12

3과 4의 최소공배수인 12를 말할 때 처음으로 동시에 손뼉을 칩니다.   (12)

연수는 6일마다, 정민이는 10일마다 봉사활동을 합니다. 연수는 1월 6일, 정민이는 1월 10일에 봉사활동을 했다면 두 사람이 처음으로 함께 봉사활동을 하는 날은 몇 월 며칠일까요?

연수 1월 6일, 1월 12일, 1월 18일…… 24일 30일

정민 1월 10일, 1월 20일…… 30일

6과 10의 최소공배수인 30일에 처음으로 함께 봉사활동을 합니다.   (1월 30일)

📖 물음에 답하세요.

진혁이는 1부터 50까지의 수를 차례대로 말하면서 4의 배수에는 왼손을 들고, 6의 배수에는 오른손을 들기로 했습니다. 물음에 답하세요.

처음으로 왼손과 오른손을 동시에 들어야 하는 수는 무엇인가요?

4와 6의 최소공배수인 12를 말할 때 처음으로 두 손을 동시에 듭니다.   (12)

왼손과 오른손을 동시에 들어야 하는 수를 모두 써 보세요.

(12, 24, 36, 48)

지수와 연아가 규칙에 따라 각자 바둑돌을 60개씩 놓았습니다. 물음에 답하세요.

지수 ●●●●○●●●●○●●●●○ ……
연아 ●●○●●○●●○●●○●●○ ……

처음으로 같은 자리에 흰 바둑돌이 있는 경우는 몇 번째 바둑돌인가요?

흰 바둑돌을 지수는 5의 배수마다, 연아는 3의 배수마다 놓습니다.   (15번째)

같은 자리에 흰 바둑돌을 놓는 경우는 모두 몇 번 있나요?

15번째, 30번째, 45번째, 60번째   (4번)

📖 물음에 답하세요.

버스터미널에서 1번 버스는 오전 8시부터 10분마다, 2번 버스는 오전 8시부터 25분마다 출발합니다. 오전 8시부터 10시까지 2시간 동안 두 버스가 동시에 출발하는 경우는 몇 번 있을까요?

10과 25의 최소공배수인 50분 마다 동시에 출발합니다.   (3번)
8시, 8시 50분, 9시 40분

손목시계는 알람이 4분 간격으로 울리고, 탁상시계는 알람이 5분 간격으로 울립니다. 처음 알람이 동시에 울리고 난 후 90분 동안 알람이 동시에 울리는 것은 몇 번 더 있을까요?

4와 5의 최소공배수인 20분 마다 동시에 울립니다.   (4번)
20분, 40분, 60분, 80분

진우와 승호가 일정한 빠르기로 호수 둘레를 걷습니다. 진우는 8분마다, 승호는 12분마다 호수를 한 바퀴 돕니다. 두 사람이 출발점에서 같은 방향으로 동시에 출발한다면 출발 후 1시간 동안 출발점에서 몇 번 다시 만날까요?

8과 12의 최소공배수인 24분 마다 다시 만납니다.   (2번)
24분, 48분

정답

21 색칠하여 찾기

월 일

■ 분수만큼 색칠하고 크기가 같은 분수끼리 이어 보세요.

■ 왼쪽 분수와 크기가 같도록 색칠하고, 색칠한 부분을 분수로 나타내어 보세요.

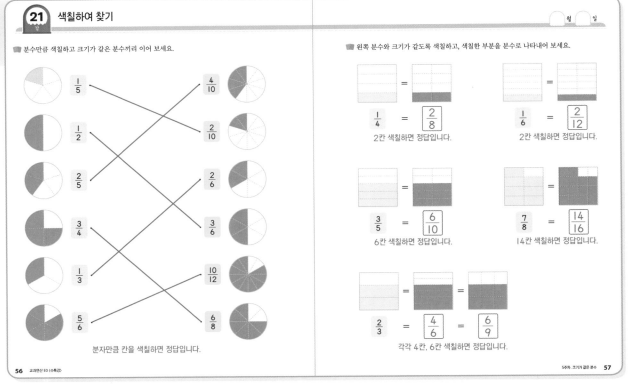

분자만큼 칸을 색칠하면 정답입니다.

$\frac{1}{4} = \boxed{\frac{2}{8}}$ 2칸 색칠하면 정답입니다.

$\frac{1}{6} = \boxed{\frac{2}{12}}$ 2칸 색칠하면 정답입니다.

$\frac{3}{5} = \boxed{\frac{6}{10}}$ 6칸 색칠하면 정답입니다.

$\frac{7}{8} = \boxed{\frac{14}{16}}$ 14칸 색칠하면 정답입니다.

$\frac{2}{3} = \boxed{\frac{4}{6}} = \boxed{\frac{6}{9}}$ 각각 4칸, 6칸 색칠하면 정답입니다.

22 같은 수 곱하여 찾기

월 일

■ 빈칸에 알맞은 수를 써넣으세요.

$\frac{1}{2}$

2등분한 것 중의 1

$\frac{1 \times 2}{2 \times 2} = \boxed{\frac{2}{4}}$

4등분한 것 중의 2

$\frac{1 \times \boxed{3}}{2 \times \boxed{3}} = \boxed{\frac{3}{6}}$

6등분한 것 중의 3

$\frac{6}{7}$

$\frac{6 \times \boxed{2}}{7 \times \boxed{2}} = \boxed{\frac{12}{14}}$

★ 크기가 같은 분수

분자와 분모에 0이 아닌 같은 수를 곱하면 크기가 같은 분수가 됩니다.

$\frac{1}{2} = \frac{2}{4} = \frac{3}{6} = \frac{4}{8}$

분자와 분모에 0이 아닌 같은 수를 나누면 크기가 같은 분수가 됩니다.

$\frac{12}{18} = \frac{6}{9} = \frac{4}{6} = \frac{2}{3}$

■ 빈칸에 알맞은 수를 써넣어 크기가 같은 분수를 만들어 보세요.

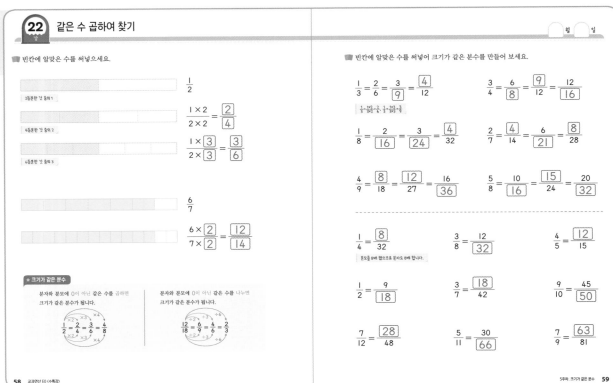

$\frac{1}{3} = \frac{2}{6} = \frac{3}{\boxed{9}} = \frac{\boxed{4}}{12}$

$\frac{3}{4} = \frac{6}{\boxed{8}} = \frac{\boxed{9}}{12} = \frac{12}{\boxed{16}}$

$\frac{1}{8} = \frac{2}{\boxed{16}} = \frac{3}{\boxed{24}} = \frac{\boxed{4}}{32}$

$\frac{2}{7} = \frac{\boxed{4}}{14} = \frac{6}{\boxed{21}} = \frac{\boxed{8}}{28}$

$\frac{4}{9} = \frac{\boxed{8}}{18} = \frac{\boxed{12}}{27} = \frac{16}{\boxed{36}}$

$\frac{5}{8} = \frac{10}{\boxed{16}} = \frac{\boxed{15}}{24} = \frac{20}{\boxed{32}}$

$\frac{1}{4} = \frac{\boxed{8}}{32}$ 분모를 8배 했으므로 분자도 8배 합니다.

$\frac{3}{8} = \frac{12}{\boxed{32}}$

$\frac{4}{5} = \frac{\boxed{12}}{15}$

$\frac{1}{2} = \frac{9}{\boxed{18}}$

$\frac{3}{7} = \frac{\boxed{18}}{42}$

$\frac{9}{10} = \frac{45}{\boxed{50}}$

$\frac{7}{12} = \frac{\boxed{28}}{48}$

$\frac{5}{11} = \frac{30}{\boxed{66}}$

$\frac{7}{9} = \frac{\boxed{63}}{81}$

23강 같은 수 나누어 찾기

월 일

■ 빈칸에 알맞은 수를 써넣으세요.

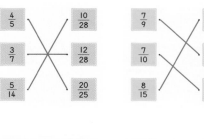

$\dfrac{8}{16}$
16등분한 것 중의 8

$\dfrac{8÷2}{16÷2}=\dfrac{4}{8}$
8등분한 것 중의 4

$\dfrac{8÷4}{16÷4}=\dfrac{2}{4}$
4등분한 것 중의 2

$\dfrac{8÷8}{16÷8}=\dfrac{1}{2}$
2등분한 것 중의 1

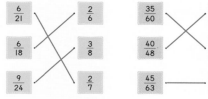

$\dfrac{6}{18}$

$\dfrac{6÷2}{18÷2}=\dfrac{3}{9}$

$\dfrac{6÷3}{18÷3}=\dfrac{2}{6}$

$\dfrac{6÷6}{18÷6}=\dfrac{1}{3}$

■ 빈칸에 알맞은 수를 써넣어 크기가 같은 분수를 만들어 보세요.

$\dfrac{8}{32}=\dfrac{4}{16}=\dfrac{2}{8}=\dfrac{1}{4}$ $\dfrac{8}{24}=\dfrac{4}{12}=\dfrac{2}{6}=\dfrac{1}{3}$

$\dfrac{10}{20}=\dfrac{5}{10}=\dfrac{2}{4}=\dfrac{1}{2}$ $\dfrac{24}{36}=\dfrac{8}{12}=\dfrac{6}{9}=\dfrac{2}{3}$

$\dfrac{18}{24}=\dfrac{9}{12}=\dfrac{6}{8}=\dfrac{3}{4}$ $\dfrac{45}{60}=\dfrac{15}{20}=\dfrac{9}{12}=\dfrac{3}{4}$

$\dfrac{4}{10}=\dfrac{2}{5}$ $\dfrac{16}{20}=\dfrac{4}{5}$ $\dfrac{8}{48}=\dfrac{1}{6}$

분모를 2로 나누었으므로 분자도 2로 나눕니다.

$\dfrac{25}{35}=\dfrac{5}{7}$ $\dfrac{24}{44}=\dfrac{6}{11}$ $\dfrac{21}{45}=\dfrac{7}{15}$

$\dfrac{25}{60}=\dfrac{5}{12}$ $\dfrac{48}{54}=\dfrac{8}{9}$ $\dfrac{27}{72}=\dfrac{3}{8}$

24강 크기가 같은 분수

월 일

■ 크기가 같은 분수끼리 이어 보세요.

$\dfrac{4}{5}$ — $\dfrac{10}{28}$
$\dfrac{3}{7}$ — $\dfrac{12}{28}$
$\dfrac{5}{14}$ — $\dfrac{20}{25}$

$\dfrac{7}{9}$ — $\dfrac{16}{30}$
$\dfrac{7}{10}$ — $\dfrac{21}{27}$
$\dfrac{8}{15}$ — $\dfrac{21}{30}$

$\dfrac{6}{21}$ — $\dfrac{2}{6}$
$\dfrac{6}{18}$ — $\dfrac{3}{8}$
$\dfrac{9}{24}$ — $\dfrac{2}{7}$

$\dfrac{35}{60}$ — $\dfrac{5}{6}$
$\dfrac{40}{48}$ — $\dfrac{7}{12}$
$\dfrac{45}{63}$ — $\dfrac{5}{7}$

■ 주어진 분수와 크기가 같은 분수에 모두 ○표 하세요.

$\dfrac{1}{3}$ $\dfrac{3}{12}$ ⟨$\dfrac{2}{6}$⟩   ⟨$\dfrac{5}{15}$⟩ $\dfrac{2}{8}$ $\dfrac{7}{18}$ ⟨$\dfrac{3}{9}$⟩

$\dfrac{3}{4}$ ⟨$\dfrac{9}{12}$⟩ $\dfrac{12}{18}$ $\dfrac{10}{16}$ ⟨$\dfrac{6}{8}$⟩   ⟨$\dfrac{15}{20}$⟩ $\dfrac{1}{2}$

$\dfrac{4}{10}$ $\dfrac{12}{25}$ $\dfrac{1}{5}$ ⟨$\dfrac{12}{30}$⟩   ⟨$\dfrac{2}{5}$⟩ $\dfrac{18}{40}$ ⟨$\dfrac{8}{20}$⟩

$\dfrac{8}{12}$ ⟨$\dfrac{2}{3}$⟩ $\dfrac{14}{24}$ ⟨$\dfrac{24}{36}$⟩ $\dfrac{3}{4}$ ⟨$\dfrac{4}{6}$⟩ $\dfrac{16}{28}$

$\dfrac{9}{18}$ $\dfrac{4}{9}$ ⟨$\dfrac{1}{2}$⟩ $\dfrac{14}{32}$ ⟨$\dfrac{3}{6}$⟩ $\dfrac{16}{36}$ ⟨$\dfrac{27}{54}$⟩

$\dfrac{12}{32}$ ⟨$\dfrac{6}{16}$⟩ $\dfrac{4}{9}$ $\dfrac{2}{6}$ ⟨$\dfrac{24}{64}$⟩   ⟨$\dfrac{3}{8}$⟩ $\dfrac{36}{90}$

64·65 쪽

25 조건에 맞는 분수

월   일

수 카드 중 2장을 골라 빈칸에 써넣어 크기가 같은 분수를 만들어 보세요.

10	12	5
25	20	

$$\frac{3}{5} = \frac{\boxed{12}}{\boxed{20}}$$

45	18	25
36	15	

$$\frac{5}{9} = \frac{\boxed{25}}{\boxed{45}}$$

48	42	54
63	21	

$$\frac{6}{7} = \frac{\boxed{54}}{\boxed{63}}$$

3	8	16
9	4	

$$\frac{18}{48} = \frac{\boxed{3}}{\boxed{8}}$$

8	1	3
6	12	

$$\frac{24}{36} = \frac{\boxed{8}}{\boxed{12}}$$

3	6	5
10	2	

$$\frac{10}{30} = \frac{\boxed{2}}{\boxed{6}}$$

물음에 답하세요.

$\frac{1}{3}$과 크기가 같은 분수 중에서 분모가 12인 분수를 써 보세요. ($\frac{4}{12}$)

$\frac{4}{5}$와 크기가 같은 분수 중에서 분자가 32인 분수를 써 보세요. ($\frac{32}{40}$)

$\frac{2}{7}$와 크기가 같은 분수 중에서 분모가 35인 분수를 써 보세요. ($\frac{10}{35}$)

$\frac{8}{20}$과 크기가 같은 분수 중에서 분자가 2인 분수를 써 보세요. ($\frac{2}{5}$)

$\frac{6}{36}$과 크기가 같은 분수 중에서 분모가 6인 분수를 써 보세요. ($\frac{1}{6}$)

66 쪽

물음에 답하세요.

$\frac{1}{4}$과 크기가 같은 분수 중에서 분모와 분자의 합이 30인 분수를 써 보세요.

($\frac{6}{24}$)

$\frac{5}{7}$와 크기가 같은 분수 중에서 분모와 분자의 합이 48인 분수를 써 보세요.

($\frac{20}{28}$)

$\frac{2}{3}$와 크기가 같은 분수 중에서 분모와 분자의 합이 10보다 크고 25보다 작은 분수를 모두 써 보세요.

($\frac{6}{9}$, $\frac{8}{12}$)

$\frac{5}{6}$와 크기가 같은 분수 중에서 분모가 15보다 크면서 분자가 25보다 작은 분수를 모두 써 보세요.

($\frac{15}{18}$, $\frac{20}{24}$)

하루 한 장 75일
집중 완성

교과 연산

"연산을 이해하려면 수를 먼저 이해해야 합니다."

"계산은 문제를 해결하는 하나의 과정입니다."

"교과연산은 상황을 판단하는 능력을 길러줍니다."